NOUVEAUX CLASSIQUES LAROUSSE

Collection fondée en 1933 par
FÉLIX GUIRAND

continuée par
LÉON LEJEALLE (1949 à 1968)   et   JEAN-POL CAPUT (1969 à 1972)
Agrégés des Lettres

LE BARBIER DE SÉVILLE

comédie

Librairie Larousse (Canada) limitée, propriétaire pour le Canada des droits d'auteur et des marques de commerce Larousse. — Distributeur exclusif au Canada : les Éditions Françaises Inc., licencié quant aux droits d'auteur et usager inscrit des marques pour le Canada.

Mˡˡᵉ Sontag (1806-1854) chante la cavatine de Rosine dans l'opéra de Rossini (1816), dont le succès a été aussi durable que celui de la comédie de Beaumarchais.

BEAUMARCHAIS

LE BARBIER DE SÉVILLE

comédie

avec une Notice biographique, une Notice historique et littéraire,
des Notes explicatives, une Documentation thématique,
des Jugements, un Questionnaire et des Sujets de devoirs,
par
LÉON LEJEALLE
Agrégé des Lettres

LIBRAIRIE LAROUSSE

17, rue du Montparnasse, et boulevard Raspail, 114
Succursale : 58, rue des Écoles (Sorbonne)

RÉSUMÉ CHRONOLOGIQUE
DE LA VIE DE BEAUMARCHAIS
1732-1799

1732 — Naissance à Paris, rue Saint-Denis, le 24 janvier, de **Pierre-Augustin Caron, fils d'un horloger.**

1742-1745 — Pierre-Augustin est confié à une école élémentaire d'Alfort; il en est retiré, à l'âge de **treize ans,** pour s'initier au **métier d'horloger.**

1753 — Le jeune Caron **invente l' « échappement »** (mécanisme qui transmet à l'ensemble des rouages le mouvement du ressort); son invention lui est volée par Lepaute, « horloger du roi », qui en fait communication au *Mercure,* sous son propre nom.

1754 — Caron proteste et adresse un *Mémoire* à l'Académie des sciences, qui lui donne raison (23 février); à la suite de cet incident, le jeune homme est **invité à la Cour.**

1755 — Ami de Mme Franquet, puis de son mari, « contrôleur de la bouche » à la Cour, il devient, grâce à celui-ci, « contrôleur clerc d'office » à Versailles (9 novembre).

1756 — M. Franquet mort, Caron épouse sa veuve (22 novembre) et **prend le nom de « Beaumarchais »,** petit domaine appartenant à sa femme.

1757 — Sa femme meurt (29 septembre); elle ne laisse que des dettes.

1759-1760 — Beaumarchais affermit sa situation à Versailles; il devient **professeur de harpe** de Mesdames, filles de Louis XV.

1760 — Il rencontre **Pâris-Duverney,** un des plus grands personnages **du monde des affaires,** chargé, en particulier, des fournitures aux armées royales. Pâris-Duverney demande à Beaumarchais de parler en sa faveur aux filles de Louis XV; en récompense, il l'intéresse à ses affaires et lui fait une part des bénéfices.

1761 — Il obtient (9 décembre) un brevet de secrétaire du Roi, qui l'anoblit et lui rapporte 85 000 livres; il acquiert en outre la charge de « lieutenant général des chasses aux bailliage et capitainerie de La Varenne du Louvre ». Il fait la connaissance du financier Lenormant d'Étioles.

1764 — Il part pour **Madrid.** Le but officiel de ce voyage est une **affaire de famille :** l'une de ses deux sœurs établies en Espagne, Lisette, ne peut obtenir du journaliste espagnol **Clavijo** qu'il tienne la promesse de mariage qu'il lui a faite : Beaumarchais obtiendra des sanctions contre le séducteur, qui n'épousera pourtant pas Lisette. En réalité, il a d'autres projets plus positifs : ouvrir et organiser pour le commerce français, sous la direction de Pâris-Duverney, la Louisiane, récemment cédée à l'Espagne. — Pendant ce voyage, il travaille à un poème sur *l'Optimisme,* qui restera inédit.

1767 — Représentation d'*Eugénie,* **drame bourgeois,** par les comédiens-français : **demi-échec** (19 janvier). A la publication, Beaumarchais en fait précéder le texte d'un *Essai sur le genre dramatique sérieux,* conforme aux théories de Diderot.

1768 — Il se remarie, en avril, avec une riche veuve, Mme Lévêque.

1770 — **Échec d'un deuxième drame bourgeois,** sur l'échéance commerciale : *les Deux Amis ou le Négociant de Lyon* (13 janvier). — Pâris-Duverney meurt (17 juillet); son légataire universel, le comte de La Blache, conteste les dispositions testamentaires favorables à Beaumarchais, en accusant celui-ci de faux et d'escroquerie. — Mort de la femme de Beaumarchais (21 novembre).

1772 — Grâce à un acte daté du 1er avril 1770, arrêtant les comptes de Beaumarchais avec Pâris-Duverney et signé par celui-ci, Beaumarchais triomphe du comte de La Blache, qui fait appel.

© *Librairie Larousse,* 1970.   ISBN 2-03-034100-2

1773 — A cause d'une rivalité amoureuse, Beaumarchais entre en conflit avec son ami le duc de Chaulnes. Chez Beaumarchais, ils se livrent le 11 février à un pugilat qui envoie le duc au fort de Vincennes, et Beaumarchais à la prison parisienne de For-L'Evêque. — En même temps l'affaire La Blache entre dans sa phase active. Le juge Goëzman, peu favorable à Beaumarchais, est nommé rapporteur (1er avril). Beaumarchais, craignant de perdre son procès, obtient de sortir de For-L'Evêque (4-5 avril) pour se faire recevoir par Mme Goëzman : il lui laisse 100 louis, dont 15 pour le secrétaire, et une montre ornée de diamants. Mme Goëzman ne lui renvoie que 85 louis et la montre. Le 6 avril, le parlement donne raison au comte de La Blache et **condamne Beaumarchais** à payer 56 300 livres et les frais du procès; on saisit ses biens. — Beaumarchais révèle alors dans quatre *Mémoires* les **agissements de Goëzman.**

1774 — Seize jours après la publication du dernier *Mémoire*, **nouveau procès : Goëzman est condamné,** malgré ses appuis, et doit vendre sa charge; Mme Goëzman est « blâmée », ainsi que Beaumarchais, qui perd ainsi ses droits civiques (26 février). — Il est souhaitable que Beaumarchais s'éloigne quelque temps; d'autre part, il désire rentrer en grâce. Il se fait charger par Louis XV de faire taire un feuilliste scandaleux à Londres; puis une autre mission du même ordre lui est confiée par Louis XVI, qui vient de monter sur le trône; cette nouvelle mission l'entraîne en Hollande et jusqu'en Autriche.

1775 — Représentation, par les comédiens-français, du *Barbier de Séville* (25 février). — En mai, il retourne à Londres, d'où il envoie un rapport à Versailles sur la politique anglaise.

1776 — Grâce à un million de livres fournies par le gouvernement, Beaumarchais fonde la Société Roderigue, Hortalez et Cie (10 juin), qui, dans l'esprit de Vergennes, doit **aider les « insurgés » américains** sans intervenir officiellement. Beaumarchais monte une flotte. Il est réhabilité par le parlement et recouvre ses droits civiques (6 septembre).

1777 — A la suite des difficultés avec les comédiens-français à propos du *Barbier de Séville*, il fonde, avec vingt-deux confrères, la **Société des auteurs dramatiques,** dont il est élu **président** (3 juillet).

1778 — Le parlement d'Aix donne enfin raison à Beaumarchais contre le comte de La Blache (23 juillet).

1784 — Après une lutte passionnée contre la censure royale et deux représentations privées, *le Mariage de Figaro* est joué à la Comédie-Française (27 avril), avec un succès extraordinaire.

1785 — Beaumarchais épouse en troisièmes noces Mlle de Willermaulaz.

1787 — *Tarare,* opéra philosophique sur un thème oriental, est joué avec succès (8 juin). — Polémique avec Bergasse, au cours de laquelle il est accusé d'accaparer les blés aux dépens du peuple.

1789 — Le parlement lui donne raison contre Bergasse (2 avril). Il se fait construire une luxueuse maison près de la Bastille.

1792-1794 — *La Mère coupable,* drame larmoyant qui fait suite au *Mariage de Figaro,* est représenté le 26 juin. — A propos de fournitures d'armes, il est emprisonné quelque temps (août 1792), puis il part en Hollande, et à Londres; de retour en France, il se fait réhabiliter et mandater à l'étranger par le Comité de salut public; à peine est-il parti qu'on l'inscrit sur la liste des émigrés. Il doit s'exiler à Hambourg, tandis que ses biens sont confisqués.

1796 — Le Directoire l'autorise à rentrer à Paris (5 juillet).

1797 — Reprise avec un grand succès de *la Mère coupable* (5 mai).

1799 — **Il meurt à Paris** d'une attaque d'apoplexie (18 mai).

Beaumarchais avait quarante-quatre ans de moins que Marivaux, quarante-trois ans de moins que Montesquieu, trente-huit ans de moins que Voltaire, vingt de moins que Rousseau, dix-neuf de moins que Diderot.
Il avait cinq ans de plus que Bernardin de Saint-Pierre, trente de plus qu'André Chénier.

BEAUMARCHAIS ET SON TEMPS

	la vie et l'œuvre de Beaumarchais	le mouvement intellectuel et artistique	les événements historiques
1732	Pierre-Augustin Caron naît à Paris (24 janvier).	L'abbé Prévost : Manon Lescaut.	Guerre de la Succession de Pologne.
1754	Une invention d'horlogerie lui ouvre la Cour, où il achète une charge l'année suivante.	Condillac : Traité des sensations. Diderot : Pensées sur la nature.	Envoi de troupes anglaises en Amérique. Dupleix quitte l'Inde.
1756	Se marie. Prend le nom de Beaumarchais.	Voltaire : Poèmes Sur la loi naturelle et le Désastre de Lisbonne. Tome VI de l'Encyclopédie.	Début de la guerre de Sept Ans.
1760	Professeur de harpe des filles de Louis XV; est initié à la finance par Pâris-Duverney.	Macpherson : Ossian. Palissot : les Philosophes. Franklin : invention du paratonnerre.	Avènement de George III d'Angleterre. Capitulation de Montréal.
1761	Anobli par l'achat d'un brevet de secrétaire du Roi.	J.-J. Rousseau : la Nouvelle Héloïse. Marmontel : Contes moraux. Greuze : l'Accordée de village.	Guerre de Sept Ans : prise de Belle-Île par les Anglais.
1764	Voyage en Espagne.	Voltaire : Dictionnaire philosophique. Jeannot et Colin. Mort de Rameau. Beccaria : Traité des délits et des peines.	Mort de Mme de Pompadour. Condamnation de la famille Sirven.
1767	Eugénie, drame bourgeois. Essai sur le genre dramatique sérieux.	Voltaire : l'Ingénu. Diderot : Salons. Lessing : Minna de Barnhelm.	Révision du procès Sirven. Les Jésuites bannis de France.
1768	Se remarie. Exploite la forêt de Chinon.	Sedaine : la Gageure imprévue. Voyages de Bougainville.	Cession de la Corse à la France.
1770	Les Deux Amis, drame bourgeois. Mort de sa deuxième femme.	S. Mercier : le Déserteur, drame imprimé. D'Holbach : le Système de la nature.	Mariage du Dauphin (Louis XVI) avec Marie-Antoinette. Exil de Choiseul.
1772	Gagne un procès contre l'héritier de Pâris-Duverney qui l'accusait de l'avoir dépossédé.	Voltaire : Épître à Horace. Ducis : Roméo et Juliette (d'après Shakespeare).	Le parlement Maupeou (1771). Premier partage de la Pologne.

1773	Mémoires contre le juge Goëzman, qui a, en appel, donné gain de cause à son adversaire.	Goethe : Goetz de Berlichingen. Diderot en Russie chez Catherine II.	Le pape Clément XIV dissout l'ordre des Jésuites.
1774	Procès contre Goëzman. Privé de ses droits civiques, Beaumarchais part pour l'Angleterre comme agent secret.	S. Mercier : le Juge, drame. Gluck : Orphée, Iphigénie. Goethe : Werther.	Mort de Louis XV. Avènement de Louis XVI.
1775	Le Barbier de Séville, comédie.	S. Mercier : la Brouette du vinaigrier. Gilbert : Satire du XVIIIe siècle. Lavoisier : Théorie de la combustion.	Ministère Turgot. Guerre de l'Indépendance américaine.
1776	Armateur et munitionnaire pour aider les « insurgés » d'Amérique; il est réhabilité.	Letourneur : traductions de Shakespeare. Houdon : statue de Voltaire. Restif de La Bretonne : le Paysan perverti.	Déclaration de l'Indépendance américaine (4 juillet). Premier ministère Necker.
1777	Fonde la Société des auteurs dramatiques.	Diderot fait représenter le Fils naturel. Querelle des gluckistes et des piccinistes. Mort de Mme Geoffrin.	Départ de La Fayette pour l'Amérique. Necker, directeur général des Finances.
1784	Le Mariage de Figaro, comédie.	Bernardin de Saint-Pierre : Études de la nature. Mort de Diderot. Grétry : Richard Cœur de Lion.	Traité de paix anglo-hollandais de Versailles. Fondation de la compagnie espagnole des Philippines.
1785	Troisième mariage.	David : le Serment des Horaces. Kant : Fondement de la métaphysique des mœurs.	Affaire du Collier de la reine. Expédition de La Pérouse.
1792	La Mère coupable, drame. Agent du Comité de salut public à l'étranger.	Florian : Fables. Ducis : Othello. Collin d'Harleville : le Vieux Célibataire, comédie.	Proclamation de la République (22 septembre). La Convention succède à la Législative.
1794	Suspect, il s'exile à Hambourg.	M.-J. Chénier : Timoléon, le Chant du départ (musique de Méhul). Exécution d'A. Chénier (7 thermidor).	Exécutions de Danton et de Camille Desmoulins (5 avril). Le 9-Thermidor, chute de Robespierre (27 juillet).
1796	Retour à Paris.	Mme de Staël : Des passions. Maillot : Madame Angot.	Première campagne d'Italie.
1799	Mort de Beaumarchais à Paris (18 mai).	Laharpe : Lycée. Laplace : Mécanique céleste. Schiller : Wallenstein.	Coup d'État du 18-Brumaire (8 novembre).

BIBLIOGRAPHIE SOMMAIRE

ÉDITION CRITIQUE DU THÉÂTRE DE BEAUMARCHAIS :

Théâtre complet avec le texte des parades, présenté par René d'Hermies (Paris, Magnard, « les Classiques verts », 1952).

OUVRAGES GÉNÉRAUX SUR BEAUMARCHAIS :

Eugène Lintilhac   *Beaumarchais et ses œuvres* (Paris, Hachette, 1887).

Auguste Bailly   *Beaumarchais, la vie et l'œuvre* (Paris, A. Fayard, 1945).

Pierre Richard   *la Vie privée de Beaumarchais* (Paris, Hachette, 1951).

Jacques Schérer   *la Dramaturgie de Beaumarchais* (Paris, Nizet, 1954).

René Pomeau   *Beaumarchais, l'homme et l'œuvre* (Paris, Hatier, 1956).

Philippe Van Tieghem   *Beaumarchais par lui-même* (Paris, Ed. du Seuil, 1960).

LE BARBIER DE SÉVILLE
1775

NOTICE

CE QUI SE PASSAIT EN 1775

■ **EN POLITIQUE. En France :** Louis XVI couronné à Reims (11 juin). Emeutes à Paris et dans le Midi, provoquées par la cherté du blé (« guerre des farines »). A Turgot, ministre des Finances depuis août 1774, s'ajoutent d'autres ministres réformistes et libéraux : le comte de Saint-Germain, ministre de la Guerre, qui réorganise l'armée, et Malesherbes, qui devient secrétaire d'Etat de la Maison du roi.

À l'étranger : Election du pape Pie VI. — Pologne : Constitution garantie à ce pays par la Russie, la Prusse et l'Autriche, qui viennent de l'amputer d'une partie de son territoire (premier partage de la Pologne, 1772). — Russie : exécution de Pougatchev, qui avait pendant deux ans animé une puissante révolte de cosaques et de serfs contre le gouvernement de Catherine II. La tsarine met en application une vaste réforme administrative qui accroît l'autorité du pouvoir central sur les différentes régions d'un empire encore féodal. — Amérique : la guerre d'Indépendance commence (massacre de Lexington, blocus de Boston). Washington est nommé commandant en chef ; tentative d'invasion du Canada par les insurgés.

■ **EN LITTÉRATURE. En France :** Voltaire, Histoire de Jenni ou le Sage et l'athée, conte. — Diderot donne une fois de plus un compte rendu du Salon. — Le poète Gilbert publie une satire, le Dix-Huitième Siècle, et une ode, le Jugement dernier. — Au théâtre : Pierre le Grand, tragédie historique moderne de Belloy ; la Brouette du vinaigrier, drame à sujet populaire de Sébastien Mercier.

À l'étranger : Goethe, qui écrit son premier Faust, vient s'installer à Weimar. — Le penseur suisse Lavater publie ses premiers Fragments physiognomoniques, qui auront plus tard tant d'influence sur Balzac. — Pestalozzi, pédagogue suisse disciple de Rousseau, ouvre son institut en Argovie.

■ **DANS LES ARTS. En France :** Portrait au pastel de Chardin par lui-même. Tableau d'Hubert Robert sur les replantations d'arbres dans les jardins de Versailles. — A l'Opéra-Comique, la Belle Arsène de Monsigny ; à l'Opéra, Céphale et Procris de Grétry.

À l'étranger : vogue en Angleterre des peintres Reynolds et Gainsborough ; celui-ci compose cette année-là l'Abreuvoir.

■ **DANS LES SCIENCES ET DANS LES TECHNIQUES.** L'Anglais James Watt, muni d'un privilège, construit des machines à vapeur. Le capitaine Cook, au cours de son deuxième voyage, découvre la Nouvelle-Calédonie et explore l'Antarctique.

L'ŒUVRE THÉÂTRALE DE BEAUMARCHAIS AVANT 1775

Il ne semble pas que Beaumarchais ait jamais rêvé de faire carrière d'auteur dramatique, mais, dans ce domaine comme dans d'autres, il a mis à profit les circonstances de sa vie aventureuse. Invité à la Cour après l'incident qui l'avait opposé à l'horloger Lepaute, il sait se rendre utile aux personnages influents qui le protègent. Le financier Lenormant d'Etioles, époux légitime de Mᵐᵉ de Pompadour, organisait des fêtes en son château : Beaumarchais lui fournit des divertissements en forme de parades.

Lointain héritage des pitreries, que « farceurs » et charlatans présentaient au début du XVIIᵉ siècle sur les tréteaux du Pont-Neuf, la parade avait retrouvé au XVIIIᵉ siècle un regain de faveur dans les théâtres de la Foire ; depuis 1760 surtout, le fameux Nicolet s'était ingénié à renouveler ces spectacles populaires, où des personnages conventionnels, proches parents de ceux de la comédie italienne, provoquaient le rire par des effets comiques qui n'étaient pas toujours sans finesse. Le mime et la chanson trouvaient place dans ces courtes pièces, qui pouvaient être en partie improvisées. Les parades qu'écrivit Beaumarchais pour Lenormant d'Etioles sont au nombre de quatre : les Députés de la Halle et du Gros-Caillou, Colin et Colette, les Bottes de sept lieues, Jean Bête à la foire. Elles ont sans doute été composées entre 1757 et 1763 ; leurs sujets, en général assez licencieux, n'étaient pas pour déplaire à la société libertine à laquelle elles étaient destinées.

Ces premiers essais donnèrent probablement à Beaumarchais la tentation d'écrire des œuvres dramatiques plus importantes. Quant à lui, il prétend[1] qu'il avait dès 1759 conçu cette Eugénie qu'il donna à jouer aux comédiens-français en 1767.

---

1. Dans l'*Essai sur le genre dramatique sérieux.*

Contre toute attente, l'auteur de parades, loin de cultiver sa veine comique, se tourne donc vers le genre « sérieux ». Dans ce drame, dont l'action se passe en Angleterre, l'héroïne, indignement séduite par un certain marquis Clarendon, qui l'a abusée par un faux mariage, se désespère d'être abandonnée; mais, après un duel entre le frère d'Eugénie et Clarendon, celui-ci vient se jeter aux pieds de la jeune femme et obtient son pardon. On a remarqué que l'histoire d'Eugénie ressemble fort à celle de la propre sœur de Beaumarchais, cette Lisette dont il prétendit aller jusqu'en Espagne défendre l'honneur bafoué par Clavijo; et le rôle du frère d'Eugénie coïncide avec celui que s'était attribué Beaumarchais, à cette seule différence près qu'il n'obtint pas réparation du séducteur. En tout cas, il semble bien qu'*Eugénie* soit une œuvre écrite, ou du moins profondément remaniée, après le voyage en Espagne de 1764. Pourquoi Beaumarchais a-t-il laissé entendre qu'il avait imaginé son drame dès 1759? L'*Essai sur le genre dramatique sérieux*, qui sert de préface à la première édition d'*Eugénie*, donne peut-être la réponse à cette question : Beaumarchais y propose en effet une rénovation du théâtre qui ressemble fort à celle que Diderot avait formulée, dès les années 1757-1758, dans les *Entretiens sur « le Fils naturel »* ainsi que dans l'essai *De la poésie dramatique*, et qu'il avait mise en pratique dans les deux drames *le Fils naturel* et *le Père de famille*. Beaumarchais pouvait donc se présenter non comme un disciple de Diderot, mais comme un novateur qui avait découvert en même temps que lui la voie où devait s'engager le théâtre. Sur certains points, Beaumarchais pousse à ses limites extrêmes la thèse de Diderot : l'*Essai sur le genre dramatique sérieux* condamne définitivement la tragédie, considérée comme un genre périmé, et prend parti pour un théâtre résolument moderne, consacré aux problèmes qui se posent aux diverses conditions sociales du monde contemporain, lorsque surgissent des conflits douloureux pour leur sensibilité et pour leur moralité.

Ainsi se révèlent chez Beaumarchais, qui ne fut point un modèle de sagesse et s'adapta sans peine aux mœurs d'une société corrompue, cet idéal de vertu, ce goût d'une sensibilité pure, traits communs à tant d'écrivains d'une génération dont Rousseau et Diderot furent les maîtres. Une autre coïncidence veut que Beaumarchais n'ait pas été plus heureux que Diderot pour exprimer sur la scène ce généreux idéal. La sensiblerie moralisante d'*Eugénie* n'est guère plus soutenable que celle du *Fils naturel*, et la pièce fut un échec; Beaumarchais y remédia partiellement en refaisant les deux derniers actes. En tout cas, l'auteur ne se découragea pas, et, en 1770, il présente un nouveau drame : *les Deux Amis ou le Négociant de Lyon*. Il s'agit cette fois d'un commerçant qui, par honnêteté professionnelle, est prêt à se suicider plutôt que de déshonorer sa signature en ne payant pas une échéance; il est sauvé de la faillite par le dévouement d'un ami, « philosophe sensible ». *Les Deux Amis* connurent un échec total, à une époque où le public commençait pourtant, grâce aux œuvres de Sedaine (*le Philosophe sans le savoir*, 1765) et de Sébastien Mercier (*le Déserteur*, imprimé en 1770), à se familiariser avec les formes nouvelles du théâtre. Beaumarchais ne renoncera pourtant pas définitivement au drame, puisqu'il y reviendra bien plus tard avec *la Mère coupable* (1792), suite du *Mariage de Figaro* : mais en 1775 il fait figure, comme il le reconnaît lui-même, d'« auteur sifflé ».

CRÉATION ET REPRÉSENTATIONS DU « BARBIER DE SÉVILLE »

Est-ce la déception, née de ces échecs, qui oriente Beaumarchais vers d'autres formes dramatiques? De fait, *le Barbier de Séville*, qui était à l'origine une **parade**, sans doute écrite pour Lenormant d'Etioles, devient d'abord un opéra-comique. On sait peu de chose sur ces formes primitives du *Barbier*. Dans la parade, la jeune amoureuse rusée s'appelait Isabelle, suivant la tradition, et le Comte y usait déjà du déguisement. Quant à l'opéra-comique, il s'agrémente, d'après les trois fragments qu'on en connaît, d'airs espagnols. Cet opéra-comique fut confié en 1772 aux Comédiens-Italiens, qui, depuis 1765, avaient fusionné avec la troupe de l'Opéra-Comique. Mais la pièce fut refusée, sous prétexte que, le premier chanteur ayant réellement exercé dans sa jeunesse le métier de barbier, le public pourrait se livrer à des allusions déplaisantes.

Beaumarchais transforma alors son *Barbier* en une **comédie en quatre actes**, qui fut acceptée par la censure et reçue par la Comédie-Française le 3 juillet 1773. Le texte de cette première version est connu : le nombre de chansons y est plus important que dans la version définitive, et il y reste encore beaucoup d'effets faciles, venus de la parade primitive, au milieu de scènes qui dénotent la volonté de se hausser à la grande comédie. La première représentation de cette « comédie à vaudevilles », c'est-à-dire mêlée de chansons, fut retardée par les mésaventures de son auteur : au scandale résultant du pugilat avec le duc de Chaulnes, Beaumarchais ajoute bientôt les révélations relatives à l'affaire Goëzman, en publiant, à partir de septembre, ses fameux *Mémoires à consulter*. La première du *Barbier*, enfin prévue pour le 12 février 1774, est encore différée par ordre de la censure, qui craint des allusions à l'affaire en cours.

Beaumarchais profite de ce délai pour étoffer sa pièce et en faire une **comédie en cinq actes**. Les additions introduisaient certains effets comiques un peu gros et accentuaient justement aussi ces allusions aux imperfections de la justice, que la censure avait voulu éviter. Mais, au début de 1775, l'affaire Goëzman est terminée, Beaumarchais est rentré en grâce; les Comédiens-Français sont d'autant plus disposés à jouer la pièce qu'elle a maintenant les cinq actes traditionnels, bien qu'il y ait de leur part quelque réticence sur certains couplets à chanter, comme le montre l'incident auquel donna lieu l'air de Rosine au troisième acte (voir la note de Beaumarchais, page 107).

La première du *Barbier* en cinq actes eut lieu le vendredi 23 février 1775; la pièce tant attendue déçut l'ensemble du public : elle parut longue et lourde. En trois jours, Beaumarchais élague alors son œuvre : il supprime (acte II, scène XII) une partie des calembours interminables que le Comte faisait sur le nom de Bartholo; surtout à l'acte III, il allège certaines scènes d'incidents qui compliquaient encore la situation (voir Documentation thématique, la suppression opérée à la scène IV), il élimine des redites (nouvelles considérations de Figaro sur sa carrière à la scène V). Il arrive ainsi à condenser en un seul les actes III et IV. En trois jours, du vendredi au lundi (et non au dimanche, comme il le dit dans sa *Lettre modérée*), la pièce redevient une **comédie en quatre actes**. Jouée sous cette forme, qui en constitue le texte définitif, le *Barbier* connaît, le 26 février 1775, un immense succès. Un tel revirement prouve bien que seule la prolixité avait fait tort à l'ouvrage.

Joué à la Comédie-Française 125 fois jusqu'en 1800, 641 fois au cours du XIXe siècle et 332 fois de 1900 à 1960, le *Barbier de Séville*, avec ses 1 098 représentations, peut être mis sur le même pied que le *Bourgeois gentilhomme* (1 065 représentations). La pièce n'a toutefois pas été reprise de 1960 jusqu'à aujourd'hui (1967).

ANALYSE DE LA PIÈCE

(Les scènes importantes sont indiquées entre parenthèses.)

■ *ACTE PREMIER*. **La rencontre du Comte et de Figaro.**

Au point du jour, le comte Almaviva, venu de Madrid à Séville pour retrouver Rosine, jeune orpheline noble dont le charme l'a conquis, rencontre Figaro **(scène II)** sous les fenêtres grillées de la belle, que le docteur Bartholo, son vieux tuteur, séquestre avant de l'épouser. Ce Figaro, ancien valet du Comte, devenu barbier et apothicaire au service de Bartholo, va, par sa connaissance de la maison et surtout par son ingéniosité **(scène IV)**, aider l'amoureux à entrer dans la place. Une lettre, habilement jetée dans la rue par la jeune fille à la barbe de son geôlier, invite le galant à se faire connaître; par le moyen d'une chanson, le « bachelier Lindor » échange avec la prisonnière les premiers aveux **(scène VI)**, tandis que le vieux jaloux est parti à la recherche d'un certain Bazile.

■ *ACTE II.* **Première ruse du Comte : le cavalier ivre.**

Dans l'appartement du docteur (décor unique jusqu'à la fin de la pièce), Figaro s'assure de la complicité de Rosine et se charge de porter de sa part un message à Lindor (**scène II**). Il a tout préparé pour la venue de l'amoureux en rendant indisponibles tous les domestiques à la maison. Bartholo, déjà furieux de ce fait, a bientôt une autre cause d'inquiétude : Bazile, son homme à tout faire, maître de chant de Rosine et expert en calomnie, lui apprend l'arrivée du comte Almaviva à Séville (**scène VIII**). Stimulée par cette nouvelle, la jalousie clairvoyante du barbon menace de déjouer les ruses de l'amoureuse novice (**scène XI**), quand le Comte, jouant le cavalier ivre, se présente pour être logé (**scène XIV**). Tentative inutile, car Bartholo est dispensé de loger les militaires. Du moins le Comte réussit-il à faire passer à Rosine une lettre que Bartholo, dès le départ de l'importun, demande à voir. Une rapide substitution, un évanouissement simulé permettent à Rosine de ne lui montrer qu'un billet anodin (**scène XV**).

■ *ACTE III.* **Seconde ruse : le maître de chant.**

Déguisé en « bachelier », le Comte se prétend envoyé comme suppléant par Bazile subitement indisposé. Pour gagner la confiance de Bartholo, toujours aussi méfiant, il va jusqu'à lui confier la lettre que Rosine lui a envoyée (**scène II**). Après encore quelques contretemps, la leçon de chant — c'est-à-dire le duo d'amour — se déroule en présence de Bartholo, vigilant d'abord, sommeillant ensuite (**scène IV**). L'arrivée de Figaro, venu pour raser Bartholo, ne réussit guère à détourner l'attention du vieillard (**scène V**). L'entrée intempestive de Bazile compromettrait l'aventure si la complicité de tous (y compris Bartholo) et l'argument irrésistible d'une bourse bien garnie ne persuadaient le gêneur de la nécessité d'aller se coucher (**scène XI**). Malheureusement, l'habileté du barbier est moins grande que la méfiance du jaloux ; celui-ci surprend deux répliques qui ne lui laissent aucun doute sur la complicité de Rosine avec le faux maître de chant.

■ *ACTE IV.* **Les derniers obstacles heureusement surmontés.**

Bartholo, apprenant de Bazile que le prétendu maître de chant lui est inconnu et que les intentions du Comte se précisent, prépare pour la nuit même son mariage. Il regagne la confiance de sa pupille en lui laissant croire (grâce à la lettre remise au début de l'acte III par le Comte) que son amoureux lui est infidèle ; de dépit, Rosine révèle à son tuteur le projet d'enlèvement imaginé par le Comte (**scène IV**). Mais, malgré toutes les mesures prises, Figaro et Almaviva entrent par la fenêtre, et les jeunes gens, réconciliés après une courte scène de dépit amoureux (**scène VI**), sont unis par le notaire même qui devait présider au mariage du tuteur et de sa pupille. Bazile, à peine malgré lui, sert de témoin avec Figaro, et Bartholo revient juste à temps pour constater que la jeunesse et l'amour ont eu raison, une fois de plus, d'un vieillard sans générosité et de sa « précaution inutile » (**scène VIII**).

LES SOURCES DU « BARBIER DE SÉVILLE »

« Un vieillard amoureux prétend épouser demain sa pupille, un jeune amant plus adroit le prévient, et ce jour même en fait sa femme, à la barbe et dans la maison du tuteur. » Tel est le résumé du *Barbier de Séville* donné par Beaumarchais lui-même dans sa *Lettre modérée*. C'est donc un sujet traditionnel, et l'auteur ne prétend pas innover ; on a même l'impression qu'il se range volontiers sous l'autorité d'une certaine tradition. En donnant à sa comédie le sous-titre de *la Précaution inutile*, en insistant plusieurs fois au cours de la pièce sur ce thème de son intrigue, Beaumarchais reprend à son compte une expression qui servait déjà de titre à une nouvelle de Scarron. Cette *Précaution inutile* de Scarron (1654) racontait comment une femme trouve un subterfuge fort habile pour cacher à son mari la présence de son amant dissimulé dans une armoire. Il est vrai qu'une comédie de Fatouville, représentée par les Comédiens-Italiens en 1692, s'appelait aussi *la Précaution inutile* et traitait d'un sujet du même genre. On a pu relever quelques ressemblances entre *les Folies amoureuses* de Regnard (1704) et *le Barbier de Séville* ; mais elles ne portent que sur des détails, et la Rosine de Beaumarchais est assez différente de cette Agathe qui, chez Regnard, simule la folie pour tromper son tuteur et épouser celui qu'elle aime. Les contemporains de Beaumarchais, si on en croit la critique formulée dans le *Journal de Bouillon*, ont rapproché *le Barbier de Séville* d'une pièce beaucoup plus récente, un opéra-comique de Sedaine avec une musique de Monsigny, joué en 1761 à la foire Saint-Laurent, *On ne s'avise jamais de tout*. Dans sa *Lettre modérée*, Beaumarchais ne se défend même pas d'avoir fait quelques emprunts à son contemporain, comme si l'accusation de plagiat le laissait indifférent. En fait, le spectateur d'aujourd'hui songe à un autre modèle, sur lequel Regnard, Sedaine et Beaumarchais lui-même n'ont fait qu'écrire des variations, c'est *l'Ecole des femmes* de Molière. Celui-ci n'avait pas non plus inventé le sujet de sa comédie, mais il l'a marqué de son génie, et il n'était plus possible après lui de refaire *l'Ecole des femmes*. Beaumarchais l'a bien compris, et on verra, en étudiant *le Barbier de Séville*, qu'il a conçu sa pièce non pas en cherchant à renouveler

Molière, mais en s'appuyant sur lui. Ce n'est pas seulement dans *l'Ecole des femmes*, mais dans d'autres pièces de Molière, que Beaumarchais a puisé de quoi suggérer au spectateur comme des réminiscences : Bazile fait penser à Tartuffe ; la leçon de chant de l'acte III rappelle un moment du *Malade imaginaire* (acte II, scène V) ; le monologue de Bartholo à la fin de l'acte III crée un effet semblable à celui d'Harpagon à la fin de l'acte IV de *l'Avare*. La plus grande habileté de Beaumarchais est de s'être placé sous le patronage de Molière, et c'est peut-être pour cela que *le Barbier de Séville* est, depuis *l'Ecole des femmes*, la comédie la plus originale qu'on ait écrite sur le thème du barbon dupé.

L'ACTION DANS « LE BARBIER DE SÉVILLE »

Beaumarchais affirme dans sa *Lettre modérée* (voir page 33) qu'il n'a voulu faire qu'une « pièce d'*imbroille* ». Il est en effet difficile de porter à un plus haut point de précision le mécanisme d'une intrigue où les plans minutieusement préparés par Figaro et Almaviva se réalisent seulement dans la mesure où la méfiance de Bartholo peut être trompée. Or, la vigilance du vieux jaloux est toujours en éveil : elle crée sans cesse des obstacles imprévus, provoquant des rebondissements, des malentendus, des quiproquos qui remettent en question les plans élaborés. Depuis le moment où le Comte, sous la jalousie verrouillée de Rosine, chante ses couplets pour répondre au message de sa belle (acte premier, scène VI), jusqu'à l'heure où, la même jalousie étant victorieusement franchie, il se trouve maître de la place sans avoir besoin désormais de s'y masquer sous un déguisement (acte IV, scène V), les péripéties n'ont pas manqué. En fait, c'est une lutte serrée que mène tout au long de la pièce le Comte, appuyé par Figaro, contre Bartholo soutenu par Bazile ; Rosine en est l'enjeu.

Le **premier acte** permet de présenter les personnages (à l'exception de Bazile) et de nouer l'intrigue. La longue conversation de Figaro et du Comte, interrompue par les courtes apparitions de Rosine et de Bartholo (scènes III et V), situe les rapports des personnages entre eux : par une heureuse coïncidence, Figaro, lié au Comte par son passé, lié à Bartholo par son présent, est tout désigné pour mener l'intrigue. Celle-ci se noue au moment où Rosine écoute l'aubade que Lindor lui adresse en réponse à la lettre tombée par la fenêtre : Lindor est décidé à épouser Rosine (scène VI).

Au **deuxième acte,** on attend avec impatience de voir se réaliser le stratagème que le Comte et Figaro ont imaginé devant nous dès la fin du premier acte. Mais, entre-temps, la méfiance de Bartholo n'a fait que s'accroître : le jaloux n'a pas été dupe de la ruse de Rosine laissant échapper sa chanson par la fenêtre (scène IV), il est rendu plus soupçonneux encore par les mauvais tours que Figaro vient de jouer à ses valets (scènes VI et VII), puis il est mis en garde par Bazile (scène VIII), qui lui apprend la présence d'Almaviva. Aussi la partie que va jouer le faux cavalier est plus difficile qu'il ne l'avait pensé : car, si Bartholo ne soupçonne pas un seul instant l'identité du militaire ivre, tout se passe pourtant comme s'il avait prévu le piège qu'on lui tend. Le Comte se croit fort habile de faire passer une lettre à Rosine, mais le tuteur n'a pas perdu de vue un seul geste de son manège. C'est Rosine qui sauvera, par son ingéniosité, une situation bien compromise (scène XV). Ainsi le mécanisme de la « précaution inutile » a-t-il joué ici dans les deux sens : toutes les précautions de Bartholo n'ont point empêché le Comte de pénétrer chez lui, mais le dessein minutieusement combiné par le Comte et Figaro serait voué à l'échec sans Rosine. Celle-ci profite d'ailleurs d'un court instant où Bartholo va fermer la porte pour substituer à la lettre compromettante l'innocent message du cousin : encore un exemple de la précaution qui se retourne contre son auteur.

Le comique des situations se développe donc suivant une progression : le Comte a beau, par d'habiles improvisations, parfaire le plan qu'avait imaginé Figaro, la vigilance de Bartholo crée des difficultés toujours plus malaisées à vaincre. C'est d'ailleurs de la part de Beaumarchais une variation fort adroite sur le thème de *l'Ecole des femmes*. L'Arnolphe de Molière est tenu au courant des agissements de son rival par ce rival lui-même (qui ignore la double identité du tuteur d'Agnès) et, sûr de ses informations, il croit pouvoir trouver la riposte qui brisera la complicité des jeunes amoureux. Bartholo, lui, possède tous les renseignements qui devraient lui permettre de conclure à la présence du Comte ; or, il passe à côté de la vérité, mais son « instinct de jalousie » a finalement plus d'efficacité que les contre-attaques précises d'Arnolphe.

C'est au **troisième acte** que Beaumarchais va jouer surtout avec l'enchevêtrement des « précautions inutiles », qui mettent en fâcheuse position ceux mêmes qui les ont prises. Pour gagner la confiance d'un Bartholo plus soupçonneux que jamais, le faux Alonzo prend le risque de lui confier la lettre de Rosine (scène II) : c'est à ce prix qu'il peut rester dans la maison pour voir Rosine. Encore s'en faut-il de peu que la jeune fille, suivant les conseils donnés par la lettre de Lindor si dangereusement préservée à l'acte II, ne refuse de prendre sa leçon de chant. Le vol de la clef (scènes VI - X), qui réussit plus encore à cause de la méfiance de Bartholo que grâce à l'habileté de Figaro, donne sans doute l'avantage au Comte, sûr maintenant de pouvoir enlever Rosine. Mais il n'a pas eu le temps, malgré l'aide de Figaro, d'avertir Rosine de l'usage qu'il a fait de la lettre. Et, à la fin de l'acte,

Bartholo, resté en possession de ce document si précieux, découvre en outre que le prétendu Alonzo n'est qu'un imposteur (scène XII) : le Comte et Figaro risquent de se faire illusion en s'imaginant à leur départ qu'ils ont gagné la partie. Le sommet de ce troisième acte est la fameuse scène XI, dont Beaumarchais était justement fier, celle de l'arrivée inattendue de Bazile. Si celui-ci survient d'une manière si intempestive, c'est pour prévenir Bartholo que « le Comte est déménagé » ; or, Almaviva avait justement pris cette précaution pour échapper à la surveillance de Bazile ; encore une précaution qui se retourne contre son auteur. Et pourtant, contre toute attente, Bazile est « neutralisé » ; la bourse offerte par le Comte y est pour quelque chose, mais cet heureux résultat ne pourrait être obtenu si la méfiance de Bartholo ne se trouvait comme paralysée par un autre souci : celui de ne pas découvrir à Rosine qu'il est lui-même de connivence avec Alonzo. Ainsi, le coup de théâtre ne se produit pas, mais le spectateur, loin d'être déçu, se trouve, plus que jamais, dans cette scène, engagé avec tous les personnages dans le jeu subtil de leurs calculs personnels. La participation du spectateur est bien différente de ce qu'elle est dans *l'Ecole des femmes* : là, on constatait, mais après coup, que chaque riposte d'Arnolphe était vouée à l'échec ; ici, on assiste au déroulement même des opérations, on suit minute par minute les progrès et les reculs de chacun des deux partis.

Ayant ainsi entraîné le spectateur dans le mécanisme des « précautions inutiles », Beaumarchais peut, au **quatrième acte**, se donner le loisir de compliquer encore un peu plus une situation qu'il dénouera non par l'artifice traditionnel d'une reconnaissance, mais par l'enchaînement logique des situations créées par les personnages eux-mêmes. Depuis le début de la pièce, le Comte, soucieux d'être aimé pour lui-même, n'a voulu se faire connaître de Rosine que sous le nom de « Lindor » : c'est parce qu'elle ignore cet incognito que Rosine peut tomber dans le piège tendu par Bartholo (scène III). Lorsque le malentendu entre les deux amoureux se dissipe (scène V), il est trop tard : l'enlèvement est impossible, puisque Bartholo a retiré l'échelle. Mais survient à point le notaire chez qui le Comte voulait emmener Rosine pour l'épouser (scène VII) : arrivée escomptée d'ailleurs, puisque Bartholo a lui-même envoyé Bazile chercher le notaire. Encore fallait-il que Bartholo fût absent à ce moment, mais quoi de plus naturel, puisque le barbon, sûr de son triomphe, est allé chercher la police pour faire arrêter les deux malfaiteurs. Ainsi, d'une situation qui ressemble fort à celle de *l'Ecole des femmes* au commencement de l'acte V, Beaumarchais passe au dénouement attendu, mais en tenant jusqu'au bout le pari de dégager ses personnages par les moyens mêmes qu'il avait utilisés pour créer l'imbroglio.

Modèle de la comédie d'intrigue, *le Barbier de Séville* ne prétend pas à la vraisemblance, mais la pièce offre un jeu qui accapare par mille combinaisons l'attention amusée du spectateur. Il s'agit de ne pas perdre de vue lettres et clefs, qui passent de main en main, et de savoir apprécier l'extraordinaire habileté avec laquelle l'auteur a calculé les entrées et les sorties de ses personnages pour les amener ou les faire disparaître au moment décisif. Il n'y a peut-être aucune situation nouvelle, aucun effet nouveau dans *le Barbier de Séville*, mais le rythme et la densité de l'ensemble sont la marque du génie de Beaumarchais.

LA TECHNIQUE DRAMATIQUE DANS « LE BARBIER DE SÉVILLE »

Parmi les résultats, sans doute involontaires, des remaniements que Beaumarchais a fait subir à sa comédie, le plus frappant est l'harmonieuse architecture de l'ensemble. Bien que la division en quatre actes soit « irrégulière », deux actes courts (I et IV) consacrés à l'exposition et au dénouement encadrent deux actes plus longs, où se répète, avec une sorte de symétrie, l'effet comique des déguisements du Comte. Cette pièce bien ordonnée respecte aussi l'unité de temps, qu'une tradition vieille de plus d'un siècle recommande à la comédie comme elle l'impose à la tragédie : commencée au lever du jour, l'action se termine peu après minuit. Tout comme Arnolphe, Bartholo, qui songeait d'abord à célébrer son mariage le lendemain, a hâté ses projets devant les dangers qui le menacent : d'où l'accélération de l'action. Quant à l'unité de lieu, elle n'est qu'approximative, puisque le premier acte se passe dans la rue, sous cette fenêtre à jalousie derrière laquelle on pénètre à partir de l'acte II, pour entrer dans l'appartement de Rosine. Là encore, Beaumarchais pouvait se réclamer de l'exemple de *l'Ecole des femmes* : dans la pièce de Molière, on est tantôt sur la place devant la porte de la maison d'Arnolphe, tantôt dans la cour de cette même maison ; il est vrai qu'on ne pénètre jamais dans l'appartement d'Agnès, où il se passe tant de choses qu'on nous raconte ensuite : Beaumarchais satisfait notre curiosité.

L'action, on l'a vu, se déroule sur un rythme rapide, ne laissant guère de répit au spectateur dont l'attention est suspendue aux rebondissements des situations et dont le regard ne doit laisser échapper aucun geste des personnages. D'où le mouvement continu imprimé à des suites de scènes qui sont les éléments d'un même épisode : l'acte premier n'est qu'une longue conversation entre le Comte et Figaro, dont la verve alimente toute l'exposition ; l'acte III développe essentiellement les péripéties de la leçon de chant. Interrompant cette continuité, quelques courtes scènes provoquent une sorte de diversion, comme la scène III de l'acte premier, révélant brusquement tout ce qui sépare Bartholo de Rosine, ou les scènes VI et VII de l'acte II, seules apparitions de La Jeunesse et de L'Eveillé. Pour lier entre eux les différents mouvements de son action, Beaumarchais utilise, non sans une certaine désinvolture, le procédé le plus expéditif, le monologue. Treize monologues jalonnent *le Barbier de Séville* : toujours très courts, ils suffisent à faire le point d'une situation au début et à la fin d'un acte (voir acte II, scène première et scène XVI - acte III, scène première et scène XIV), à ménager une transition (acte III, scène III), à exprimer en quelques mots l'état d'âme d'un personnage (acte IV, scène II). Mais à aucun moment ces monologues ne donnent l'impression d'invraisemblance, tant est grande l'habileté de Beaumarchais à les intégrer au courant même de son intrigue.

Tout semble donc agencé de manière que rien ne ralentisse le mouvement de l'action. Et cependant Beaumarchais se permet des « morceaux de bravoure » qui, si on y réfléchit, forment presque des digressions. La grande tirade de Figaro à la fin de la scène II de l'acte premier, l'« air de la calomnie » de Bazile à la fin de la scène VIII de l'acte II en sont les meilleurs exemples. Or, les avatars de Figaro journaliste, auteur et barbier n'auront guère d'influence sur son comportement dans la pièce ; quant à Bazile, il n'aura pas l'occasion de faire montre de ses capacités : le seul personnage à user de la calomnie sera Bartholo (acte IV, scène V) à propos de la lettre que lui a remise le faux Alonzo, et encore l'idée lui en a-t-elle été suggérée par le Comte lui-même. Cependant, ces « morceaux de bravoure » comptent parmi les meilleures réussites de Beaumarchais et révèlent un des aspects les plus significatifs de son génie.

Non seulement leur verve éblouissante appelle les applaudissements, mais leur contenu donne leur vraie dimension aux personnages qui les prononcent.

LES PERSONNAGES

A sujet traditionnel, personnages traditionnels. Le barbon, la pupille, le jeune amoureux sont les partenaires obligés d'une comédie de ce genre. L'habileté de Beaumarchais est de leur avoir conservé les caractères conventionnels de leur emploi, mais en y ajoutant des traits qui les distinguent de leurs prédécesseurs, comme si les mésaventures de ceux-ci leur avaient donné de l'expérience.

Bartholo garde certains caractères grotesques et répugnants du vieillard amoureux de la farce : sourd (acte III, scène première), gâteux et sommeillant (acte III, scène IV), il a l'égoïsme, la méchanceté, le cynisme d'un homme à qui l'âge a enlevé toute sensibilité ; l'avarice lui est sans doute aussi venue avec la vieillesse. Mais à ce fond caricatural, insuffisant pour donner une vérité humaine au personnage, Beaumarchais apporte des nuances. Il fait de Bartholo un médecin, et la querelle avec le Comte, déguisé en soldat (acte II, scène XIII), démontre que Bartholo est aussi prétentieux que les médecins de Molière; du moins tient-il à prévenir les plaisanteries habituelles qu'on fait sur les praticiens plus habiles à envoyer leurs malades au cimetière qu'à les guérir. Est-il d'ailleurs un bon médecin? Beaumarchais ne saurait insister sur ce point qui disperserait en deux directions la psychologie du personnage; mais comment Bartholo, qui unit dans un même dédain l'électricité, le tolérantisme et la vaccination (acte premier, scène III), pourrait-il être un partisan du progrès? Il n'est pas besoin de le voir ordonner clystère et saignée pour comprendre qu'il est — cent ans après — aussi borné que Diafoirus et Monsieur Purgon. Mais chez lui cette attitude est liée à toute une conception de la vie : Bartholo reste attaché aux préjugés du passé. Cet aveuglement est d'autant plus impardonnable que le barbon est capable de lucidité, mais seulement quand ses projets de mariage sont en jeu. Les Géronte de la comédie traditionnelle sont aisément bernés; la jalousie de Bartholo est sans cesse en éveil, et sa clairvoyance devine les pièges avec plus de certitude que s'il en était pleinement informé. Tout se passe comme s'il avait tiré la leçon des mécomptes survenus à Arnolphe et à ses semblables. Il a compris qu'il ne sert à rien de ne pas apprendre l'écriture aux jeunes Agnès, puisqu'elles l'apprennent en cachette pour correspondre avec leurs amoureux : il est beaucoup plus adroit de surveiller leur correspondance. De même que Molière avait laissé quelque chose d'un peu pitoyable à son Arnolphe, si ridicule et odieux par ailleurs, Beaumarchais n'écrase pas Bartholo, à la fin de la pièce, sous le mépris et le ridicule : il lui laisse un certain souci de sa dignité, mais aussi l'entêtement propre à ceux qui sont incapables de comprendre d'où vient leur échec.

Rosine n'est pas très éloignée, au fond, de l'Isabelle des parades traditionnelles, et on imagine qu'elle devait déjà avoir ce caractère dans le premier *Barbier de Séville*. On excuse aisément les ruses et les mensonges qu'elle invente pour se délivrer de la tyrannie de son indigne tuteur; on ne saurait lui reprocher certaines malices ou même certaines insolences à l'égard de son bourreau; on admire la tendresse et la pureté de ses sentiments pour Lindor. Elle est sympathique comme toutes les jeunes amoureuses de comédie. Faut-il en conclure qu'elle est l'innocence même? Cet éloge tendrait à constater la banalité du personnage : or, Rosine ne manque point de personnalité. Elle n'est sans doute pas la première à avoir découvert la révolte comme moyen de résistance à l'oppression d'un tuteur et d'un père, mais cette révolte est beaucoup plus consciente que chez celles qui l'ont précédée. Jeune orpheline noble, elle n'a pourtant aucun préjugé de classe contre le bourgeois qu'est son tuteur ; ce qu'elle lui reproche, c'est de méconnaître les droits de la jeunesse et de l'amour. Fille de son siècle, Rosine, sans rien perdre de sa délicatesse féminine, est sûre de la vérité de certains principes. On le voit bien à la forme que prend son dépit quand elle se croit trahie par Lindor (acte IV, scène III) : elle avoue tout à Bartholo, lui promet de l'épouser, oublie sa répugnance pour lui, comme pour réparer ses torts et se donner l'illusion qu'elle fait justice.

Quant à **Almaviva**, il a l'emploi du jeune amoureux qui, dans une comédie de ce genre, est souvent le plus conventionnel. Que cet aristocrate, habitué aux aventures galantes, soit, dès le premier acte, décidé à épouser Rosine, cela fait partie des traditions du rôle. Il désire se faire aimer pour lui-même, comme certains amoureux de Marivaux ; ce trait ne peut le rendre que plus sympathique, mais, du même coup, élimine les caractères particuliers à sa condition. Rien d'original non plus à ce qu'il ait besoin du secours de Figaro pour mener à bien son entreprise. Ce qui le différencie de ses semblables, c'est l'ingéniosité avec laquelle il met en œuvre les plans préparés par Figaro : seul face à Bartholo, il se révèle au moins aussi adroit que le Barbier. Il était certes nécessaire à l'action que le Comte prenne le relais de Figaro, mais, en même temps, on a l'impression qu'il a, lui aussi, tiré la leçon de ces comédies où le jeune amoureux est bien souvent trop emprunté ou trop naïf.

A côté de ce trio, modernisé comme si le tuteur, la pupille et l'amoureux avaient profité de l'expérience de leurs prédécesseurs sur la scène, Beaumarchais a créé deux figures plus marquantes encore : Figaro et Bazile.

Figaro se rattache, par son emploi, à la tradition de Scapin, de Frontin, de tous les valets débrouillards et rusés qui tirent d'affaire leur maître en difficulté ; il invente les stratagèmes, les déguisements, il épie Bartholo, il vole la clef de la jalousie (comme La Flèche dérobe la cassette d'Harpagon) et ne réussit pas plus mal qu'un autre dans ce rôle. La grande habileté de Beaumarchais est d'avoir placé sous cette image familière une personnalité infiniment plus riche et qui tient beaucoup plus au passé du Barbier qu'à son action présente. Les aventures de Figaro, telles qu'il les raconte au premier acte, sont celles d'un homme du peuple qui, ne manquant ni d'ambition ni de talent, s'est heurté aux préjugés d'une société où l'on n'aime point les esprits libres. Figaro a dû renoncer, mais il ne prend pas la vie assez au sérieux pour en être déçu ni amer. Sa philosophie s'exprime en une « joyeuse colère » qui n'est ni résignation ni révolte. Sa rencontre avec Almaviva va lui permettre d'exercer son génie de l'intrigue : l'homme du peuple se met au service du grand seigneur, mais c'est pour le plaisir : il n'est déterminé ni par l'appât du gain ni même par le souci de défendre une juste cause, car il reste sceptique devant la résolution que prend le Comte de vouer à Rosine un amour éternel. Plein de vie, de désinvolture, Figaro donne l'impression d'une extraordinaire jeunesse de caractère ; et, pourtant, il n'est plus un jeune homme ; une de ses répliques (acte III, scène V, ligne 13) le laisse clairement entendre, et sa longue carrière pouvait le faire deviner. On fausse l'intention de Beaumarchais en représentant le Barbier sous les traits d'une avenante jeunesse : la vie et ses épreuves ont marqué Figaro, et il n'en a point perdu pour cela sa gaieté.

Enfin, **Bazile** a des ancêtres, lui aussi, dans la comédie italienne et française : ce mouchard, cupide et cauteleux, devenu l'homme à tout faire de Bartholo, a hérité de l'emploi de l'entremetteur. Mais Beaumarchais le rattache également à une lignée plus célèbre : professionnel de la calomnie, l'organiste, habillé d'une manière qui caricature le vêtement des gens d'Eglise, est le descendant de Tartuffe, professionnel de l'hypocrisie. Cet homme noir semble bien avoir été créé pour faire contraste avec Figaro : il représente tout ce que le Barbier déteste. Il ne manque certainement pas de bon sens : on le voit au conseil qu'il donne à Bartholo de ne pas se marier (acte IV, scène première). Il est d'autant plus impardonnable de vendre ses services à toutes les mauvaises causes, quitte à passer du côté adverse si son intérêt le lui conseille.

PORTÉE DU « BARBIER DE SÉVILLE »

La couleur espagnole du *Barbier de Séville* n'est qu'un trompe-l'œil. Ce n'est pas que Beaumarchais ait négligé ce qui pouvait évoquer l'image de l'Espagne aux yeux du spectateur. Le costume des personnages, soigneusement décrit par lui (voir pages 49-50 et la gravure page 39), atteste le soin qu'il a apporté à ces détails. Mais ni la guitare de Figaro ni les noms de personnes et de villes ne suffisent à faire du *Barbier* une pièce de mœurs espagnoles. Sans doute, le passé de Figaro a quelque ressemblance avec les aventures des héros picaresques, mais plus encore que dans le *Gil Blas* de Lesage, c'est la réalité française qui est décrite à travers la fiction espagnole. On serait même tenté de dire que Beaumarchais a accentué le caractère espagnol de certains détails extérieurs, pour mieux mettre en évidence qu'il ne s'agit que d'un artifice. Nombreuses sont les répliques où l'auteur s'assure que le spectateur est bien complice de cette transposition : Beaumarchais est sûr de l'effet comique qu'il produira en faisant dire à Bartholo : « Nous ne sommes pas en France, où l'on donne toujours raison aux femmes » (acte II, scène XV, lignes 57-58).

On comprend donc pourquoi les personnages qui restent surtout présents au souvenir du spectateur sont Figaro et Bazile. C'est qu'ils donnent, plus que les autres, sa signification sociale à la pièce. Bazile ne peut prospérer que dans une société corrompue, où la dénonciation nourrit son homme. Figaro ne peut y survivre qu'en renonçant à ses ambitions et en pratiquant une honnêteté qui ne s'embarrasse tout de même pas trop de scrupules : habileté nécessaire dans un monde où dominent les habiles.

Les contemporains de Beaumarchais, qui s'étaient amusés — ou scandalisés — des aventures tapageuses de l'auteur du *Barbier*, s'attendaient à trouver des allusions à la fameuse affaire Goëzman, encore toute récente, mais ce n'est pas dans la bouche de Figaro qu'on les trouva. En face de Bartholo, qui prétend que la justice doit être au service de l'autorité des maîtres contre les valets (acte II, scène VIII), et au service de l'intérêt des tuteurs contre leurs pupilles (acte IV, scène VIII), c'est Almaviva qui lance la formule : « Les vrais magistrats sont les soutiens de tous ceux qu'on opprime. » A Figaro est dévolu le rôle d'étendre cette critique à la structure même de la société d'Ancien Régime. On crut, par un calembour approximatif (Figaro : « fils Caron »), découvrir en lui non seulement le porte-parole, mais le sosie de l'auteur. A vrai dire, le fils de l'horloger avait eu plus de chance que son Figaro, mais, à travers les mésaventures du jeune domestique devenu apothicaire, auteur dramatique, journaliste, on reconnaissait les tribulations d'un garçon du peuple qui, décidé à sortir de sa condition et à faire valoir ses talents, se heurte à une société où les intérêts et les privilèges se liguent pour faire échec aux prétentions même les plus honnêtes. Cette satire sociale s'exprime en maximes bien frappées, dont Figaro surtout a le secret. Si hardies que soient ces maximes, elles sont dites dans un éclat de rire, qui en atténue l'agressivité : Beaumarchais, comme bien d'autres auteurs du XVIIIe siècle, sait mettre de son côté ceux-là mêmes qu'il critique. Faut-il d'ailleurs le considérer en 1775 comme un défenseur conscient des droits du tiers état contre les privilégiés? Cette image de Beaumarchais s'affirmera avec le *Mariage de Figaro* (1784). Ici, malgré les pointes lancées par Figaro contre son ancien maître, celui-ci est son allié et défend avec lui les droits de Rosine contre Bartholo, qui représente moins les préjugés de sa classe sociale, la bourgeoisie, que l'entêtement d'une vieille génération obstinée à soutenir des idées qui sont d'un autre temps. La victoire de la jeunesse sur la vieillesse reste la leçon traditionnelle sur laquelle s'appuie la moralité du *Barbier de Séville*.

Le spectateur d'aujourd'hui est moins sensible que celui de 1775 à la ressemblance entre Figaro et son créateur, ou, plutôt, il s'imagine Beaumarchais sous les traits de Figaro. Mais cette parenté ne suffirait pas à expliquer le relief que le Barbier prend à nos yeux. Ce qui fait la solidité du personnage, c'est qu'il se rattache à une tradition : Figaro a hérité de l'emploi de Scapin ; ses ruses n'ont d'ailleurs rien de bien nouveau, et leur ingéniosité, qui ne comporte guère d'imprévu, établit son lien de filiation avec les valets de Molière, de Regnard et de Lesage. Cet aspect familier du personnage contribue à ranger Figaro parmi les types conventionnels de l'univers théâtral, mais en même temps d'autres traits lui donnent son originalité propre.

Il représente, beaucoup plus qu'un caractère, une certaine attitude devant la vie. Ses échecs n'inspirent guère de commisération parce qu'il les accepte avec philosophie ; Figaro garde fort peu de rancune à la société qui l'a empêché de réussir. Avait-il réellement les qualités nécessaires pour faire un bon auteur dramatique ? Il semble au fond avoir conscience que ses ambitions dépassaient peut-être ses moyens et que sa vraie vocation était d'exercer son métier de barbier, quitte à griffonner de temps à autre, par plaisir, quelque chansonnette. On sait gré à Figaro de ne s'être pas laissé gagner par l'amertume propre aux ratés. Il a gardé suffisamment de bonne humeur pour se convaincre qu'il est libre, sans se faire toutefois trop d'illusions sur cette liberté. Du moins, celle-ci l'autorise-t-elle à dire leurs vérités aux gens, qu'il les trouve sympathiques, comme Almaviva, ou odieux, comme Bartholo. Le ton diffère d'ailleurs assez peu, qu'il s'adresse aux uns ou aux autres, car il est trop désabusé pour que son propos puisse tourner à la révolte. Cette désinvolture donne l'impression qu'il prend la vie comme un jeu, en gardant dans son âge mûr la gouaille et l'espièglerie du gamin de Paris qu'il a été. C'est entre Panurge et Gavroche que Figaro a sa vraie place. Ainsi s'explique l'étonnante vitalité du personnage créé par Beaumarchais. La société a beau avoir changé depuis 1775, les railleries de Figaro gardent toujours leur portée parce qu'elles dépassent les revendications propres à une époque ; et l'on retient surtout de la comédie de Beaumarchais l'image du Barbier qui sait affronter les vicissitudes de la vie avec assez d'enthousiasme pour aimer la liberté et avec assez d'ironie pour ne pas trop y croire.

RUE DE SÉVILLE. AU FOND, LA TOUR DE LA GIRALDA

Les balcons vitrés, dont les fenêtres peuvent se fermer à clef, ont
inspiré le décor que l'on voit ci-contre.

DÉCOR DU PREMIER ACTE À LA COMÉDIE-FRANÇAISE (1954)

LETTRE MODÉRÉE
sur la chute et la critique
du « Barbier de Séville »

L'auteur, vêtu modestement et courbé,
présentant sa pièce au lecteur.

MONSIEUR,

J'ai l'honneur de vous offrir un nouvel opuscule de ma façon. Je
souhaite vous rencontrer dans un de ces moments heureux où, dégagé
de soins, content de votre santé, de vos affaires, de votre maîtresse, de
votre dîner, de votre estomac, vous puissiez vous plaire un moment
5 à la lecture de mon *Barbier de Séville;* car il faut tout cela pour être
homme amusable et lecteur indulgent.

Mais si quelque accident a dérangé votre santé, si votre état est
compromis, si votre belle a forfait à ses serments, si votre dîner fut
mauvais ou votre digestion laborieuse, ah! laissez mon *Barbier;*
10 ce n'est pas là l'instant; examinez l'état de vos dépenses, étudiez le
factum[1] de votre adversaire, relisez ce traître billet surpris à Rose[2],
ou parcourez les chefs-d'œuvre de Tissot[3] sur la tempérance, et faites
des réflexions politiques, économiques, diététiques, philosophiques
ou morales.

15 Ou si votre état est tel qu'il vous faille absolument l'oublier, enfon-
cez-vous dans une bergère[4], ouvrez le journal établi dans Bouillon[5]
avec encyclopédie, approbation et privilège, et dormez vite une heure
ou deux.

Quel charme aurait une production légère au milieu des plus noires
20 vapeurs, et que vous importe, en effet, si Figaro le barbier s'est
moqué de Bartholo le médecin en aidant un rival à lui souffler sa
maîtresse? On rit peu de la gaîté d'autrui, quand on a de l'humeur
pour son propre compte.

Que vous fait encore si ce barbier espagnol, en arrivant dans Paris,
25 essuya quelques traverses, et si la prohibition de ses exercices a
donné trop d'importance aux rêveries de mon bonnet? On ne s'intéresse guère aux affaires des autres que lorsqu'on est sans inquiétude
sur les siennes.

---

1. *Factum :* rapport fourni dans un procès par une des parties en cause sur l'objet
en litige. Les *Mémoires* de Beaumarchais contre Goëzman étaient un factum;
2. Nom supposé de l'infidèle maîtresse du lecteur; 3. *Simon André Tissot* (1728-
1797) : médecin suisse alors célèbre par ses ouvrages de vulgarisation médicale;
4. *Bergère :* fauteuil large et profond, une des nouveautés du mobilier du XVIIIe siècle,
sans doute inventée vers 1720; 5. *Bouillon :* ville des Ardennes, aujourd'hui en Bel-
gique. Il y paraissait un *Journal encyclopédique par une société de gens de lettres :*
c'est dans ce journal que parut une critique très défavorable au *Barbier* (mai 1775).
[Voir Jugements.]

Mais enfin tout va-t-il bien pour vous? Avez-vous à souhait double
30 estomac, bon cuisinier, maîtresse honnête et repos imperturbable?
Ah! parlons, parlons; donnez audience à mon *Barbier*. (1)

Je sens trop, Monsieur, que ce n'est plus le temps où, tenant mon
manuscrit en réserve, et semblable à la coquette qui refuse souvent
ce qu'elle brûle toujours d'accorder, j'en faisais quelque avare lec-
35 ture[1] à des gens préférés, qui croyaient devoir payer ma complai-
sance par un éloge pompeux de mon ouvrage.

O jours heureux! Le lieu, le temps, l'auditoire à ma dévotion et
la magie d'une lecture adroite assurant mon succès, je glissais sur
le morceau faible en appuyant sur les bons endroits; puis, recueillant
40 les suffrages du coin de l'œil avec une orgueilleuse modestie, je jouis-
sais d'un triomphe d'autant plus doux que le jeu d'un fripon d'acteur
ne m'en dérobait pas les trois quarts pour son compte.

Que reste-t-il, hélas! de toute cette gibecière[2]? A l'instant qu'il
faudrait des miracles pour vous subjuguer, quand la verge de Moïse[3]
45 y suffirait à peine, je n'ai plus même la ressource du bâton de Jacob[4];
plus d'escamotage, de tricherie, de coquetterie, d'inflexions de voix,
d'illusion théâtrale, rien. C'est ma vertu toute nue que vous allez
juger.

Ne trouvez donc pas étrange, Monsieur, si, mesurant mon style à
50 ma situation, je ne fais pas comme ces écrivains qui se donnent le
ton de vous appeler négligemment *lecteur*, *ami lecteur*, *cher lecteur*,
bénin ou *benoît lecteur*, ou de telle autre dénomination cavalière, je
dirais même indécente, par laquelle ces imprudents essayent de se
mettre au pair avec leur juge, et qui ne fait bien souvent que leur en
55 attirer l'animadversion[5]. J'ai toujours vu que les airs ne séduisaient
personne, et que le ton modeste d'un auteur pouvait seul inspirer
un peu d'indulgence à son fier lecteur. (2)

---

1. C'était la coutume qu'un auteur fasse dans les salons ou les cercles littéraires
des lectures de sa pièce avant de la donner au théâtre; 2. *Gibecière* : le sac que les
escamoteurs et les charlatans attachaient à leur tablier; c'est au figuré, le moyen
de faire illusion au lecteur; 3. La *verge de bois* avec laquelle Moïse fit jaillir l'eau
du rocher, le signe de sa puissance; 4. Le bâton sur lequel s'appuya Jacob pour
traverser le Jourdain, le seul bien qui lui restait alors, symbole de la pauvreté;
5. *Animadversion* : hostilité.

━━━━ QUESTIONS ━━━━

1. La philosophie de la bonne humeur selon Beaumarchais; en quoi
reconnaît-on ici la parenté entre Figaro et son auteur? — Dans quelle
tradition d'optimisme se range Beaumarchais? — Le sentiment du lecteur en lisant ces premiers paragraphes.

2. Le « respect » de Beaumarchais pour son lecteur n'est-il pas plutôt
un défi? Pourquoi a-t-il, au fond, tant d'assurance? — Montrez que,
sous la légèreté apparente de propos, Beaumarchais pose ici un problème
important : que devient le texte d'une pièce de théâtre lorsqu'il est privé
des agréments que lui donne la représentation ou même la « lecture
à une voix »?

Eh! quel écrivain en eut jamais plus besoin que moi? Je voudrais
le cacher en vain. J'eus la faiblesse autrefois, Monsieur, de vous pré-
60 senter, en différents temps, deux tristes drames[1]; productions mons-
trueuses, comme on sait, car entre la tragédie et la comédie, on n'ignore
plus qu'il n'existe rien; c'est un point décidé, le maître[2] l'a dit,
l'école en retentit; et pour moi, j'en suis tellement convaincu que,
si je voulais aujourd'hui mettre au théâtre une mère éplorée, une
65 épouse trahie, une sœur éperdue, un fils déshérité[3], pour les présenter
décemment au public, je commencerais par leur supposer un beau
royaume où ils auraient régné de leur mieux, vers l'un des archipels
ou dans tel autre coin du monde; certain, après cela, que l'invraisemblance du roman[4], l'énormité des faits, l'enflure des caractères, le
70 gigantesque des idées et la bouffissure du langage, loin de m'être
imputés à reproche, assureraient encore mon succès.

Présenter des hommes d'une condition moyenne, accablés et dans
le malheur, fi donc! On ne doit jamais les montrer que bafoués. Les
citoyens ridicules et les rois malheureux, voilà tout le théâtre existant
75 et possible; et je me le tiens pour dit, c'est fait, je ne veux plus querel-
ler avec personne.

J'ai donc eu la faiblesse autrefois, Monsieur, de faire des drames
qui n'étaient pas *du bon genre*, et je m'en repens beaucoup.

Pressé depuis par les événements, j'ai hasardé de malheureux
80 Mémoires[5], que mes ennemis n'ont pas trouvé *du bon style;* et j'en
ai le remords cruel.

Aujourd'hui, je fais glisser sous vos yeux une comédie fort gaie,
que certains maîtres de goût n'estiment pas *du bon ton*[6], et je ne
m'en console point.

85 Peut-être un jour oserai-je affliger votre oreille d'un opéra[7], dont
les jeunes gens d'autrefois diront que la musique n'est pas *du bon
français;* et j'en suis tout honteux d'avance.

Ainsi, de fautes en pardons et d'erreurs en excuses, je passerai ma
vie à mériter votre indulgence par la bonne foi naïve avec laquelle
90 je reconnaîtrai les unes en vous présentant les autres. (3)

---

1. *Eugénie* (1767) et *les Deux Amis* (1770); 2. *Le maître* désigne ici, au sens général, le théoricien qui maintient fidèlement les dogmes de la doctrine classique; 3. Sujets
traditionnels du *drame bourgeois* tel que Diderot, Sedaine et Beaumarchais l'ont
pratiqué; 4. *Roman :* ici, sujet de la pièce; 5. Les *Mémoires* contre Goëzman; 6. Celui
de la Comédie-Française; 7. Ce sera *Tarare* (1787); mais *le Barbier de Séville* avait
eu aussi cette forme à l'origine.

--------- **QUESTIONS** ---------

3. La carrière de Beaumarchais racontée par lui-même : comment
donne-t-il l'impression qu'il est l'éternelle victime d'une cabale menée
par les défenseurs d'une certaine tradition? — L'attitude de Beaumarchais n'est-elle pas déjà celle de l'auteur d'avant-garde? — Étudiez en
particulier la défense du drame bourgeois contre la tragédie. Beaumarchais est-il le seul à son époque à user de ces arguments contre le
goût classique ?

Quant au *Barbier de Séville*, ce n'est pas pour corrompre votre jugement que je prends ici le ton respectueux : mais on m'a fort assuré que, lorsqu'un auteur était sorti, quoique échiné, vainqueur au théâtre, il ne lui manquait plus que d'être agréé par vous, Monsieur, et
95 lacéré dans quelques journaux, pour avoir obtenu tous les lauriers littéraires. Ma gloire est donc certaine si vous daignez m'accorder le laurier de votre agrément, persuadé que plusieurs de messieurs les journalistes ne me refuseront pas celui de leur dénigrement.

Déjà l'un d'eux, établi dans Bouillon[1] avec approbation et privilège,
100 m'a fait l'honneur encyclopédique d'assurer à ses abonnés que ma pièce était sans plan, sans unité, sans caractères, vide d'intrigue et dénuée de comique.

Un autre[2], plus naïf encore, à la vérité sans approbation, sans privilège et même sans encyclopédie, après un candide exposé de mon
105 drame, ajoute au laurier de sa critique cet éloge flatteur de ma personne : « La réputation du sieur de Beaumarchais est bien tombée, et les honnêtes gens sont enfin convaincus que lorsqu'on lui aura arraché les plumes du paon, il ne restera plus qu'un vilain corbeau noir, avec son effronterie et sa voracité. »
110 Puisqu'en effet j'ai eu l'effronterie de faire la comédie du *Barbier de Séville*, pour remplir l'horoscope[3] entier, je pousserai la voracité jusqu'à vous prier humblement, Monsieur, de me juger absolument, et sans égard aux critiques passés, présents et futurs ; car vous savez que, par état, les gens de feuille[4] sont souvent ennemis des gens de
115 lettres ; j'aurai même la voracité de vous prévenir qu'étant saisi de mon affaire, il faut que vous soyez mon juge absolument, soit que vous le vouliez ou non, car vous êtes mon lecteur. (4)

Et vous sentez bien, Monsieur, que si, pour éviter ce tracas ou me prouver que je raisonne mal, vous refusiez constamment de me lire,
120 vous feriez vous-même une pétition de principes[5] au-dessous de vos lumières : n'étant pas mon lecteur, vous ne seriez pas celui à qui s'adresse ma requête.

Que si, par dépit de la dépendance où je parais vous mettre, vous vous avisiez de jeter le livre en cet instant de votre lecture, c'est,
125 Monsieur, comme si, au milieu de tout autre jugement, vous étiez enlevé du tribunal par la mort, ou tel accident qui vous rayât du nombre des magistrats. Vous ne pouvez éviter de me juger qu'en devenant nul, négatif, anéanti, qu'en cessant d'exister en qualité de mon lecteur.

---

1. Voir page 26, note 5 ; 2. On n'a pas identifié ce critique, peut-être imaginé par Beaumarchais lui-même ; 3. *L'horoscope :* la prédiction ; 4. *Les gens de feuille :* les journalistes. Figaro parle (acte premier, scène II) des « feuillistes » ; 5. *Pétition de principes :* raisonnement faux, qui admet comme résolu par évidence le problème à résoudre.

━━━━━ **QUESTIONS** ━━━━━

4. L'attaque contre les journalistes et les critiques : Beaumarchais tente-t-il d'atténuer les attaques qu'on a lancées contre lui ? Comment essaie-t-il de mettre le lecteur de son côté ?

130   Eh! quel tort vous fais-je en vous élevant au-dessus de moi? Après
le bonheur de commander les hommes, le plus grand bonheur,
Monsieur, n'est-il pas de les juger?

Voilà donc qui est arrangé. Je ne reconnais plus d'autre juge que
vous; sans excepter messieurs les spectateurs, qui, ne jugeant qu'en
135   premier ressort, voient souvent leur sentence infirmée à votre tribunal.

L'affaire avait d'abord été plaidée devant eux au théâtre et, ces
messieurs ayant beaucoup ri, j'ai pu penser que j'avais gagné ma cause
à l'audience[1]. Point du tout; le journaliste établi dans Bouillon prétend
que c'est de moi qu'on a ri. Mais ce n'est là, Monsieur, comme on dit
140   en style de palais, qu'une mauvaise chicane de procureur : mon but
ayant été d'amuser les spectateurs, qu'ils aient ri de ma pièce ou de
moi, s'ils ont ri de bon cœur, le but est également rempli : ce que
j'appelle avoir gagné ma cause à l'audience.

Le même journaliste assure encore, ou du moins laisse entendre que
145   j'ai voulu gagner quelques-uns de ces messieurs en leur faisant des
lectures particulières, en achetant d'avance leur suffrage par cette
prédilection[2]. Mais ce n'est encore là, Monsieur, qu'une difficulté de
publiciste allemand[3]. Il est manifeste que mon intention n'a jamais
été que de les instruire; c'étaient des espèces de consultations que je
150   faisais sur le fond de l'affaire. Que si les consultants, après avoir
donné leur avis, se sont mêlés parmi les juges, vous voyez bien,
Monsieur, que je n'y pouvais rien de ma part, et que c'était à eux de
se récuser par délicatesse, s'ils se sentaient de la partialité pour mon
barbier andalou. **(5)**

155   Eh! plût au Ciel qu'ils en eussent un peu conservé pour ce jeune
étranger! Nous aurions eu moins de peine à soutenir notre malheur
éphémère[4]. Tels sont les hommes : avez-vous du succès, ils vous
accueillent, vous portent, vous caressent, ils s'honorent de vous;
mais gardez de broncher dans la carrière : au moindre échec, ô mes
160   amis! souvenez-vous qu'il n'est plus d'amis.

Et c'est précisément ce qui nous arriva le lendemain de la plus
triste soirée. Vous eussiez vu les faibles amis du *Barbier* se disperser,
se cacher le visage ou s'enfuir; les femmes, toujours si braves quand

---

1. Aux yeux du public, sinon par la sentence des juges (comme ce fut le cas pour
l'auteur lors de l'affaire Goëzman); 2. *Prédilection :* préférence accordée à l'avance;
3. La ville de Bouillon étant sur le territoire de l'Empire, Beaumarchais peut accuser
son adversaire de lui chercher une « querelle d'Allemand »; 4. Allusion à l'échec
de la première représentation (voir Notice, page 12).

─────── **QUESTIONS** ───────

5. Relevez dans tout ce passage les termes juridiques qui servent à
développer longuement l'image d'un procès dans lequel l'auteur serait
l'accusé. Cette insistance du procédé est-elle lassante? Comment Beaumarchais profite-t-il de ce passage pour répondre à certaines critiques,
d'ailleurs assez gênantes pour lui? — Où reparaît ici l'argument fonda-
mental qui démontre que *le Barbier* a atteint son but?

elles protègent, enfoncées dans les coqueluchons[1] jusqu'aux panaches[2]
165 et baissant des yeux confus; les hommes courant se visiter, se faire
amende honorable[3] du bien qu'ils avaient dit de ma pièce, et rejetant
sur ma maudite façon de lire les choses tout le faux plaisir qu'ils y
avaient goûté. C'était une désertion totale, une vraie désolation.

Les uns lorgnaient à gauche, en me sentant passer à droite, et ne
170 faisaient plus semblant de me voir : ah! Dieux! D'autres, plus coura-
geux, mais s'assurant bien si personne ne les regardait, m'attiraient
dans un coin pour me dire : « Eh! comment avez-vous produit en nous
« cette illusion? Car il faut en convenir, mon ami, votre pièce est la
« plus grande platitude du monde.
175   — Hélas! Messieurs, j'ai lu ma platitude, en vérité, tout platement
« comme je l'avais faite; mais au nom de la bonté que vous avez de me
« parler encore après ma chute et pour l'honneur de votre second
« jugement, ne souffrez pas qu'on redonne la pièce au théâtre; si,
« par malheur, on venait à la jouer comme je l'ai lue, on vous ferait
180 « peut-être une nouvelle tromperie, et vous vous en prendriez à moi
« de ne plus savoir quel jour vous eûtes raison ou tort; ce qu'à Dieu
« ne plaise! »

On ne m'en crut point, on laissa rejouer la pièce, et pour le coup je
fus prophète en mon pays. Ce pauvre Figaro, *fessé* par la cabale[4] en
185 *faux-bourdon*[5] et presque enterré le vendredi, ne fit point comme Candide; il prit courage, et mon héros se releva le dimanche[6], avec une
vigueur que l'austérité d'un carême entier et la fatigue de dix-sept
séances publiques[7] n'ont pas encore altérée. Mais qui sait combien cela
durera? Je ne voudrais pas jurer qu'il en fût seulement question dans
190 cinq ou six siècles, tant notre nation est inconstante et légère! (6)

Les ouvrages de théâtre, Monsieur, sont comme les enfants des
femmes : conçus avec volupté, menés à terme avec fatigue, enfantés
avec douleur et vivant rarement assez pour payer les parents de leurs
soins, ils coûtent plus de chagrins qu'ils ne donnent de plaisirs. Sui-
195 vez-les dans leur carrière : à peine ils voient le jour que, sous prétexte

---

1. *Coqueluchon* : petit capuchon; 2. *Panaches* : bouquets de plumes ornant la
coiffure; 3. Demander pardon publiquement; 4. *Cabale* : coalition littéraire contre
un ouvrage; 5. Allusion au chap. vi de *Candide*, où le héros, après le tremblement
de terre de Lisbonne, est *fessé en cadence*, au chant d'un faux-bourdon, par les
gens de l'Inquisition; 6. Mal accueillie le vendredi 23 février 1775, la pièce, réduite
à quatre actes, fut applaudie, sinon le dimanche, du moins le lundi suivant; 7. La
pièce avait été reprise après le carême, pendant lequel les représentations étaient
suspendues; la dix-septième représentation eut lieu le 17 août 1775.

QUESTIONS

6. Intérêt documentaire des lignes 161-190 pour l'histoire des premières
représentations de la pièce. Pourquoi Beaumarchais ne parle-t-il pas ici
des remaniements qu'il fit subir à son œuvre et qui expliquent, en partie
du moins, qu'elle ait connu le succès deux jours après avoir subi un
échec? — A quoi semble attribué ici le revirement du public?

d'enflure, on leur applique les censeurs; plusieurs en sont restés en chartre[1]. Au lieu de jouer doucement avec eux, le cruel parterre les rudoie et les fait tomber. Souvent, en les berçant, le comédien les estro-
pie. Les perdez-vous un instant de vue, on les retrouve, hélas! traînant
200 partout, mais dépenaillés, défigurés, rongés d'extraits et couverts de critiques. Échappés à tant de maux, s'ils brillent un moment dans le monde, le plus grand de tous les atteint, le mortel oubli les tue; ils meurent, et, replongés au néant, les voilà perdus à jamais dans l'im-
mensité des livres.
205   Je demandais à quelqu'un pourquoi ces combats, cette guerre ani-
mée entre le parterre et l'auteur, à la première représentation des ouvrages, même de ceux qui devaient plaire un autre jour. « Ignorez-
vous, me dit-il, que Sophocle et le vieux Denys[2] sont morts de joie d'avoir remporté le prix des vers au théâtre? Nous aimons trop nos
210 auteurs pour souffrir qu'un excès de joie nous prive d'eux en les étouffant; aussi, pour les conserver, avons-nous grand soin que leur triomphe ne soit jamais si pur, qu'ils puissent en expirer de plaisir. »
    Quoi qu'il en soit des motifs de cette rigueur, l'enfant de mes loi-
sirs, ce jeune, cet innocent *Barbier*, tant dédaigné le premier jour, loin
215 d'abuser le surlendemain de son triomphe ou de montrer de l'humeur à ses critiques, ne s'en est que plus empressé de les désarmer par l'enjouement de son caractère.
    Exemple rare et frappant, Monsieur, dans un siècle d'ergotisme[3] où l'on calcule tout jusqu'au rire; où la plus légère diversité d'opinions
220 fait germer des haines éternelles; où tous les jeux tournent en guerre; où l'injure qui repousse l'injure est à son tour payée par l'injure, jus-
qu'à ce qu'une autre effaçant cette dernière en enfante une nouvelle, auteur de plusieurs autres, et propage ainsi l'aigreur à l'infini, depuis le rire jusqu'à la satiété, jusqu'au dégoût, à l'indignation même du lec-
225 teur le plus caustique.
    Quant à moi, Monsieur, s'il est vrai, comme on l'a dit, que tous les hommes soient frères (et c'est une belle idée), je voudrais qu'on pût engager nos frères les gens de lettres à laisser, en discutant, le ton rogue et tranchant à nos frères les libellistes, qui s'en acquittent si bien!
230 ainsi que les injures à nos frères les plaideurs... qui ne s'en acquittent pas mal non plus. Je voudrais surtout qu'on pût engager nos frères les journalistes à renoncer à ce ton pédagogue et magistral avec lequel ils gourmandent les fils d'Apollon[4] et font rire la sottise aux dépens de l'esprit.
235   Ouvrez un journal : ne semble-t-il pas voir un dur répétiteur, la

---

1. *Chartre* : prison; 2. *Denys* l'Ancien (v. 430-367 av. J.-C.), tyran de Syracuse, était aussi poète; il remporta un prix pour une de ses pièces représentée à Athènes et mourut peu après; d'où la légende rapportée par Beaumarchais. En revanche, on voit moins à quelle anecdote il fait allusion à propos de Sophocle; 3. *Ergotisme* : manie d'ergoter, de raisonner à tort et à travers sur tout; le mot semble être de l'invention de Beaumarchais; 4. Les poètes et, plus généralement, les écrivains.

férule ou la verge levée sur des écoliers négligents, les traiter en esclaves au plus léger défaut dans le devoir? Eh! mes frères, il s'agit bien de devoir ici! la littérature en est le délassement et la douce récréation.

240 A mon égard au moins, n'espérez pas asservir dans ses jeux mon esprit à la règle : il est incorrigible, et, la classe du devoir une fois fermée, il devient si léger et badin que je ne puis que jouer avec lui. Comme un liège emplumé qui bondit sur la raquette, il s'élève, il retombe, égaye mes yeux, repart en l'air, y fait la roue et revient encore.
245 Si quelque joueur adroit veut entrer en partie et balloter à nous deux le léger volant de mes pensées, de tout mon cœur; s'il riposte avec grâce et légèreté, le jeu m'amuse et la partie s'engage. Alors on pourrait voir les coups portés, parés, reçus, rendus, accélérés, pressés, relevés même avec une prestesse, une agilité propre à réjouir autant les spectateurs qu'elle animerait les acteurs.

250 Telle, au moins, Monsieur, devrait être la critique; et c'est ainsi que j'ai toujours conçu la dispute entre les gens polis qui cultivent les lettres. (7)

Voyons, je vous prie, si le journaliste de Bouillon a conservé dans sa critique ce caractère aimable et surtout de candeur pour lequel on
255 vient de faire des vœux.

« La pièce est une farce », dit-il.

Passons sur les qualités. Le méchant nom qu'un cuisinier étranger donne aux ragoûts français ne change rien à leur saveur : c'est en passant par ses mains qu'ils se dénaturent. Analysons la farce de Bouillon.
260 « La pièce, a-t-il dit, n'a pas de plan. »

Est-ce parce qu'il est trop simple qu'il échappe à la sagacité de ce critique adolescent?

Un vieillard amoureux prétend épouser demain sa pupille; un jeune amant plus adroit le prévient, et ce jour même en fait sa femme,
265 à la barbe et dans la maison du tuteur. Voilà le fond, dont on eût pu faire, avec un égal succès, une tragédie, une comédie, un drame, un opéra, *et cetera. L'Avare* de Molière est-il autre chose? le grand *Mithridate* est-il autre chose? Le genre d'une pièce, comme celui de toute action, dépend moins du fond des choses que des caractères qui
270 les mettent en œuvre.

Quant à moi, ne voulant faire, sur ce plan, qu'une pièce amusante

───── **QUESTIONS** ─────

7. La nouvelle série d'images qui se succèdent depuis la ligne 191 : comment font-elles contraste avec les précédentes? Quel « climat » nouveau créent-elles dans cette préface? — A travers le jeu des images et la désinvolture du développement, quelles idées généreuses transparaissent sur l'attachement de l'écrivain à son œuvre? sur la fraternité qui devrait lier auteur, public et critiques? Dans quelle mesure reconnaît-on en Beaumarchais un représentant des générations qui ont subi l'influence de Rousseau?

et sans fatigue, une pièce d'*imbroille*[1], il m'a suffi que le machiniste[2], au lieu d'être un noir scélérat, fût un drôle de garçon, un homme insouciant qui rit également du succès et de la chute de ses entreprises,
275 pour que l'ouvrage, loin de tourner en drame sérieux, devînt une comédie fort gaie; et de cela seul que le tuteur est un peu moins sot que tous ceux qu'on trompe au théâtre, il a résulté beaucoup de mouvement dans la pièce, et surtout la nécessité d'y donner plus de ressort aux intrigants.

280 Au lieu de rester dans ma simplicité comique, si j'avais voulu compliquer, étendre et tourmenter mon plan à la manière tragique ou *dramique*[3], imagine-t-on que j'aurais manqué de moyens dans une aventure dont je n'ai mis en scène que la partie la moins merveilleuse? **(8)**

En effet, personne aujourd'hui n'ignore qu'à l'époque historique où
285 la pièce finit gaîment dans mes mains, la querelle commença sérieusement à s'échauffer, comme qui dirait derrière la toile, entre le docteur et Figaro, sur les cent écus. Des injures, on en vint aux coups. Le docteur, étrillé par Figaro, fit tomber en se débattant le *rescille*[4] ou filet qui coiffait le barbier, et l'on vit, non sans surprise, une forme de spatule
290 imprimée à chaud sur sa tête rasée. Suivez-moi, Monsieur, je vous prie.

A cet aspect, moulu de coups qu'il est, le médecin s'écrie avec transport : « Mon fils! ô Ciel, mon fils! mon cher fils!... » Mais avant que Figaro l'entende, il a redoublé de horions sur son cher père. En effet,
295 ce l'était.

Ce Figaro qui, pour toute famille avait jadis connu sa mère, est fils naturel de Bartholo. Le médecin, dans sa jeunesse, eut cet enfant d'une personne en condition, que les suites de son imprudence firent passer du service au plus affreux abandon.

300 Mais avant de les quitter, le désolé Bartholo, Frater[5] alors, a fait rougir sa spatule; il en a timbré son fils à l'occiput, pour le reconnaître un jour, si jamais le sort les rassemble. La mère et l'enfant avaient passé six années dans une honorable mendicité, lorsqu'un chef de bohémiens, descendu de Luc Gauric[6], traversant l'Andalousie avec sa

---

1. *Imbroille* : forme francisée de l'italien *imbroglio* ; 2. Celui qui tient les ficelles de l'intrigue, autrement dit Figaro; 3. *Dramique* : qui se rapporte au drame bourgeois, néologisme créé par Beaumarchais; 4. *Rescille* (mot espagnol devenu *résille* en français) : filet pour tenir les cheveux; 5. *Frater* : désigne, dans les congrégations religieuses, celui qui n'est encore qu'un « frère », rang inférieur à celui de « révérend père ». Ici, au sens de « débutant » : c'est ce qu'était Bartholo en sa jeunesse; 6. *Luc Gauric* (1476-1550) : astrologue célèbre.

━━━━━ QUESTIONS ━━━━━

8. Beaumarchais peut-il maintenant commencer la défense du *Barbier* contre les critiques qu'on lui a prodiguées? Dans quel état d'esprit a-t-il placé le lecteur par un si long préambule? — L'insistance de l'auteur à condamner la traditionnelle séparation des genres. — Quoi que dise Beaumarchais, n'avoue-t-il pas que sa pièce est une comédie, au sens classique du terme?

305 troupe, et consulté par la mère sur le destin de son fils, déroba l'enfant
furtivement, et laissa par écrit cet horoscope à sa place :

> *Après avoir versé le sang dont il est né,*
> *Ton fils assommera son père infortuné ;*
> *Puis, tournant sur lui-même et le fer et le crime,*
310 > *Il se frappe, et devient heureux et légitime.*

En changeant d'état sans le vouloir, l'infortuné jeune homme a
changé de nom sans le vouloir; il s'est élevé sous celui de Figaro; il a
vécu. Sa mère est cette Marceline, devenue vieille et gouvernante
chez le docteur, que l'affreux horoscope de son fils a consolé de sa
315 perte. Mais aujourd'hui, tout s'accomplit.

En saignant Marceline au pied, comme on le voit dans ma pièce, ou
plutôt comme on ne l'y voit pas, Figaro remplit le premier vers :

> *Après avoir versé le sang dont il est né.*

Quand il étrille innocemment le docteur, après la toile tombée, il
320 accomplit le second vers :

> *Ton fils assommera son père infortuné.*

A l'instant, la plus touchante reconnaissance a lieu entre le médecin, la vieille et Figaro : *C'est vous! c'est lui! c'est toi! c'est moi!* Quel
coup de théâtre! Mais le fils, au désespoir de son innocente vivacité,
325 fond en larmes et se donne un coup de rasoir, selon le sens du troisième vers :

> *Puis, tournant sur lui-même et le fer et le crime,*
> *Il se frappe, et...*

Quel tableau! En n'expliquant point si, du rasoir, il se coupe la
330 gorge ou seulement le poil du visage, on voit que j'avais le choix de
finir ma pièce au plus grand pathétique. Enfin, le docteur épouse la
vieille; et Figaro, suivant la dernière leçon,

> *... devient heureux et légitime.*

Quel dénouement! Il ne m'en eût coûté qu'un sixième acte. Et quel
335 sixième acte! Jamais tragédie au Théâtre français... Il suffit. Reprenons la pièce en l'état où elle a été jouée et critiquée. Lorsqu'on me
reproche avec aigreur ce que j'ai fait, ce n'est pas l'instant de louer ce
que j'aurais pu faire. **(9)**

« La pièce est invraisemblable dans sa conduite », a dit encore le
340 journaliste établi dans Bouillon avec approbation et privilège.

───── **QUESTIONS** ─────

9. En imaginant ce « sixième acte » romanesque et mélodramatique,
Beaumarchais répond-il directement aux objections de ceux qui prétendent que la pièce est une farce? Comment sait-il détourner l'attention du lecteur du problème posé? — Cherchez dans *le Mariage de
Figaro* l'utilisation qu'a faite Beaumarchais des aventures imaginées ici?
Peut-on en conclure que, dès cette époque, Beaumarchais a déjà en tête
le sujet du *Mariage?*

Invraisemblable! Examinons cela par plaisir.

Son Excellence M. le comte Almaviva, dont j'ai depuis longtemps l'honneur d'être ami particulier, est un jeune seigneur, ou pour mieux dire était, car l'âge et les grands emplois en ont fait depuis un homme
345 fort grave, ainsi que je le suis devenu moi-même. Son Excellence était donc un jeune seigneur espagnol, vif, ardent, comme tous les amants de sa nation, que l'on croit froide et qui n'est que paresseuse.

Il s'était mis secrètement à la poursuite d'une belle personne qu'il avait entrevue à Madrid et que son tuteur a bientôt ramenée au lieu de
350 sa naissance. Un matin qu'il se promenait sous ses fenêtres à Séville, où depuis huit jours il cherchait à s'en faire remarquer, le hasard conduisit au même endroit Figaro le barbier. — Ah! le hasard! dira mon critique; et si le hasard n'eût pas conduit ce jour-là le barbier dans cet endroit, que devenait la pièce? — Elle eût commencé, mon frère, à
355 quelque autre époque. — Impossible puisque le tuteur, selon vous-même, épousait le lendemain. — Alors il n'y aurait pas eu de pièce ou, s'il y en avait eu, mon frère, elle aurait été différente. Une chose est-elle invraisemblable, parce qu'elle était possible autrement?

Réellement, vous avez un peu d'humeur. Quand le cardinal de Retz[1]
360 nous dit froidement : « Un jour j'avais besoin d'un homme; à la vérité, je ne voulais qu'un fantôme; j'aurais désiré qu'il fût petit-fils de Henri le Grand[2]; qu'il eût de longs cheveux blonds; qu'il fût beau, bien fait, bien séditieux; qu'il eût le langage et l'amour des halles : et voilà que le hasard me fait rencontrer à Paris M. de Beaufort, échappé de la
365 prison du roi; c'était justement l'homme qu'il me fallait[3] », va-t-on dire au coadjuteur : « Ah! le hasard! Mais si vous n'eussiez pas rencontré M. de Beaufort? Mais ceci, mais cela...? » (10)

Le hasard donc conduisit en ce même endroit Figaro le barbier, beau diseur, mauvais poète, hardi musicien, grand fringueneur[4] de
370 guitare et jadis valet de chambre du Comte; établi dans Séville, y faisant avec succès des barbes, des romances et des mariages; y maniant également le fer du phlébotome[5] et le piston[6] du pharmacien; la ter-

---

1. *Le cardinal de Retz* (1613-1679), coadjuteur de l'archevêque de Paris, son oncle, fut un des agitateurs les plus célèbres du temps de la Fronde; ses *Mémoires* racontent avec une verve incomparable toutes ses intrigues; 2. *Henri le Grand* : Henri IV; 3. *Le duc de Beaufort* (1616-1669), petit-fils d'Henri IV, fut un des chefs de la Fronde des seigneurs. Très populaire, il était surnommé le « Roi des Halles ». Tout cet épisode se trouve réellement dans les *Mémoires* de Retz, sans que la citation soit cependant littérale; 4. *Fringueneur* : mot créé par Beaumarchais d'après *fringuer* (sautiller, en parlant d'un cheval); 5. *Phlébotome :* bistouri (étymologiquement : coupe-veine) destiné à la saignée; 6. *Piston :* seringue à lavement.

━━━━━ QUESTIONS ━━━━━

10. Le problème de la vraisemblance. Les critiques dramatiques de 1775 sont-ils, sur ce point, très différents des « doctes » de 1660? — L'exemple tiré des *Mémoires* de Retz est-il une preuve suffisante de la vraisemblance des situations créées par Beaumarchais? Le vrai est-il toujours vraisemblable?

reur des maris, la coqueluche des femmes, et justement l'homme qu'il
nous fallait. Et comme, en toute recherche, ce qu'on nomme passion
375 n'est autre chose qu'un désir irrité par la contradiction, le jeune amant,
qui n'eût peut-être eu qu'un goût de fantaisie pour cette beauté, s'il
l'eût rencontrée dans le monde, en devient amoureux parce qu'elle
est enfermée, au point de faire l'impossible pour l'épouser.

Mais vous donner ici l'extrait entier de la pièce, Monsieur, serait
380 douter de la sagacité, de l'adresse avec laquelle vous saisirez le dessein
de l'auteur, et suivrez le fil de l'intrigue, en la lisant. Moins prévenu
que le journal de Bouillon, qui se trompe avec approbation et privilège sur toute la conduite de cette pièce, vous verrez que *tous les*
soins de l'amant ne *sont* pas *destinés à remettre simplement une lettre,*
385 qui n'est là qu'un léger accessoire à l'intrigue, mais bien à s'établir
dans un fort défendu par la vigilance et le soupçon, surtout à tromper
un homme qui, sans cesse éventant la manœuvre, oblige l'ennemi de
se retourner assez lestement pour n'être pas désarçonné d'emblée.

Et lorsque vous verrez que tout le mérite du dénouement consiste
390 en ce que le tuteur a fermé sa porte en donnant son passe-partout à
Bazile, pour que lui seul et le notaire puissent entrer et conclure son
mariage, vous ne laisserez pas d'être étonné qu'un critique aussi
équitable se joue de la confiance de son lecteur, ou se trompe au point
d'écrire, et dans Bouillon encore : *Le comte s'est donné la peine de*
395 *monter au balcon par une échelle avec Figaro, quoique la porte ne soit*
pas fermée.

Enfin, lorsque vous verrez le malheureux tuteur, abusé par toutes
les précautions qu'il prend pour ne le point être, à la fin forcé de
signer au contrat du Comte et d'approuver ce qu'il n'a pu prévenir,
400 vous laisserez au critique à décider si ce tuteur était un *imbécile* de
ne pas deviner une intrigue dont on lui cachait tout, lorsque lui,
critique à qui l'on ne cachait rien, ne l'a pas devinée plus que le
tuteur. **(11)**

En effet, s'il l'eût bien conçue, aurait-il manqué de louer tous les
405 beaux endroits de l'ouvrage?

Qu'il n'ait point remarqué la manière dont le premier acte annonce
et déploie avec gaîté tous les caractères de la pièce, on peut lui pardonner.

Qu'il n'ait pas aperçu quelque peu de comédie dans la grande scène
410 du second acte[1] où, malgré la défiance et la fureur du jaloux, la pupille

---

1. Acte II, scène xv.

───── **QUESTIONS** ─────

11. La justification de l'intrigue : montrez que Beaumarchais, rejetant
les critères d'une vraisemblance purement formelle, lie la conduite de
l'intrigue aux caractères des personnages. — L'erreur commise par le
critique (ligne 394) peut-elle s'expliquer? Est-il toujours facile de suivre
à la représentation les mille détails qui déterminent le mécanisme de
l'intrigue?

parvient à lui donner le change sur une lettre remise en sa présence, et à lui faire demander pardon à genoux du soupçon qu'il a montré, je le conçois encore aisément.

Qu'il n'ait pas dit un seul mot de la scène de stupéfaction de Bazile
415 au troisième acte[1], qui a paru si neuve au théâtre et a tant réjoui les spectateurs, je n'en suis point surpris du tout.

Passe encore qu'il n'ait pas entrevu l'embarras où l'auteur s'est jeté volontairement au dernier acte, en faisant avouer par sa pupille à son tuteur que le Comte avait dérobé la clef de la jalousie; et comment
420 l'auteur s'en démêle en deux mots, et sort en se jouant de la nouvelle inquiétude qu'il a imprimée aux spectateurs. C'est peu de chose en vérité.

Je veux bien qu'il ne lui soit pas venu à l'esprit que la pièce, une des plus gaies qui soient au théâtre, est écrite sans la moindre équivoque,
425 sans une pensée, sans un seul mot dont la pudeur, même des petites loges[2], ait à s'alarmer; ce qui pourtant est bien quelque chose, Monsieur, dans un siècle où l'hypocrisie de la décence est poussée presque aussi loin que le relâchement des mœurs. Très volontiers. Tout cela sans doute pouvait n'être pas digne de l'attention d'un critique aussi
430 majeur.

Mais comment n'a-t-il pas admiré ce que tous les honnêtes gens n'ont pu voir sans répandre des larmes de tendresse et de plaisir? Je veux dire : la piété filiale de ce bon Figaro, qui ne saurait oublier sa mère!

435 *Tu connais donc ce tuteur?* lui dit le Comte au premier acte[3]. *Comme ma mère*, répondit Figaro. Un avare aurait dit : *Comme mes poches*. Un petit-maître eût répondu : *Comme moi-même*. Un ambitieux : *Comme le chemin de Versailles*. Et le journaliste de Bouillon : *Comme mon libraire* : les comparaisons de chacun se tirant toujours de l'objet
440 intéressant. *Comme ma mère*, a dit le fils tendre et respectueux.

Dans un autre endroit encore[4] : *Ah! vous êtes charmant!* lui dit le tuteur. Et ce bon, cet honnête garçon, qui pouvait gaîment assimiler cet éloge à tous ceux qu'il a reçus de ses maîtresses, en revient toujours à sa bonne mère, et répond à ce mot : *Vous êtes charmant! — Il est*
445 *vrai, Monsieur, que ma mère me l'a dit autrefois*. Et le journal de Bouillon ne relève point de pareils traits! il faut avoir le cerveau bien desséché pour ne pas les voir, ou le cœur bien dur pour ne pas les sentir!

Sans compter mille autres finesses de l'art répandues à pleines
450 mains dans cet ouvrage. Par exemple, on sait que les comédiens ont multiplié chez eux les emplois à l'infini : emplois de grande, moyenne et petite amoureuse; emplois de grands, moyens et petits valets; emplois de niais, d'important, de croquant, de paysan, de tabellion[5],

---

1. Acte III, scène XI; 2. *Petites loges* : loges grillagées, d'où l'on pouvait voir sans être vu et souvent occupées par des dames de la bonne société, qui se seraient crues compromises d'être aperçues à certains spectacles; 3. Scène IV, ligne 40; 4. Acte III, scène V, ligne 11; 5. *Tabellion* : notaire.

Illustration de Fragonard fils (1780-1850)
pour *LE BARBIER DE SÉVILLE*, acte II, scène XV.

de bailli[1]; mais on sait qu'ils n'ont pas encore appointé[2] celui du
455 bâillant. Qu'a fait l'auteur pour former un comédien peu exercé au
talent d'ouvrir largement la bouche au théâtre? Il s'est donné le soin
de lui rassembler dans une seule phrase, toutes les syllabes bâillantes
du français : *Rien... qu'en... l'en...ten...dant... parler*[3], syllabes en
effet qui feraient bâiller un mort, et parviendraient à desserrer les
460 dents mêmes de l'envie!

En cet endroit admirable[4] où, pressé par les reproches du tuteur
qui lui crie : *Que direz-vous à ce malheureux qui bâille et dort tout
éveillé? et à l'autre qui, depuis trois heures, éternue à se faire sauter le
crâne et jaillir la cervelle, que leur direz-vous?* le naïf barbier répond :
465 *Eh parbleu! je dirai à celui qui éternue : Dieu vous bénisse! et : Va te
coucher à celui qui bâille.* Réponse en effet si juste, si chrétienne et
si admirable, qu'un de ces fiers critiques qui ont leurs entrées au
paradis, n'a pu s'empêcher de s'écrier : « Diable! l'auteur a dû rester
au moins huit jours à trouver cette réplique. »

470 Et le journal de Bouillon, au lieu de louer ces beautés sans nombre,
use encre et papier, approbation et privilège, à mettre un pareil
ouvrage au-dessous même de la critique! On me couperait le cou,
Monsieur, que je ne saurais m'en taire. (12)

N'a-t-il pas été jusqu'à dire, le cruel! que, *pour ne pas voir expirer*
475 *ce Barbier sur le théâtre, il a fallu le mutiler, le changer, le refondre,
l'élaguer, le réduire en quatre actes et le purger d'un grand nombre de
pasquinades*[5], *de calembours, de jeux de mots, en un mot de bas comique?*

A le voir ainsi frapper comme un sourd, on juge assez qu'il n'a pas
entendu le premier mot de l'ouvrage qu'il décompose. Mais j'ai
480 l'honneur d'assurer ce journaliste, ainsi que le jeune homme qui lui
taille ses plumes et ses morceaux, que, loin d'avoir purgé la pièce
d'aucun des *calembours, jeux de mots*, etc., qui lui eussent nui le premier jour, l'auteur a fait rentrer dans les actes restés au théâtre tout
ce qu'il en a pu reprendre à l'acte au portefeuille[6] : tel un charpentier
485 économe cherche, dans ses copeaux épars sur le chantier, tout ce qui
peut servir à cheviller et boucher les moindres trous de son ouvrage.

Passerons-nous sous silence le reproche aigu qu'il fait à la jeune
personne d'avoir *tous les défauts d'une fille mal élevée?* Il est vrai que
pour échapper aux conséquences d'une telle imputation, il tente à la

---

1. *Bailli :* représentant local de la justice royale;.2. *Appointer :* désigner comme
titulaire; 3. Voir le texte exact, acte II, scène VI, ligne 10; 4. Acte III, scène V, lignes 21-
28; 5. *Pasquinades :* railleries bouffonnes. *Pasquin* était le nom donné par le peuple
de Rome à une vieille statue où l'on attachait les pamphlets et les placards satiriques;
6. L'acte non utilisé.

─────── **QUESTIONS** ───────

12. L'éloge de Beaumarchais par lui-même. Quelles sont les scènes
les plus réussies, selon lui? A-t-il raison de les considérer comme les
meilleures? — Faut-il accorder la même importance aux éloges qu'il
décerne à certaines répliques, à certains « mots de théâtre »? Comment
Beaumarchais réussit-il à faire sa propre louange sans paraître vaniteux?

490 rejeter sur autrui, comme s'il n'en était pas l'auteur, en employant cette expression brutale : *On trouve à la jeune personne ;* etc. On trouve !...

Que voulait-il donc qu'elle fît? Qu'au lieu de se prêter aux vues d'un jeune amant très aimable et qui se trouve un homme de qualité, 495 notre charmante enfant épousât le vieux podagre médecin? Le noble établissement qu'il lui destinait là! Et parce qu'on n'est pas de l'avis de Monsieur, on a *tous les défauts d'une fille mal élevée !*

En vérité, si le journal de Bouillon se fait des amis en France par la justesse et la candeur de ses critiques, il faut avouer qu'il en aura 500 beaucoup moins au-delà des Pyrénées, et qu'il est surtout bien dur pour les dames espagnoles.

Eh! qui sait si Son Excellence Madame la Comtesse Almaviva, l'exemple des femmes de son état et vivant comme un ange avec son mari, quoiqu'elle ne l'aime plus, ne se ressentira pas un jour des 505 libertés qu'on se donne à Bouillon sur elle, avec approbation et privilège?

L'imprudent journaliste a-t-il au moins réfléchi que Son Excellence ayant, par le rang de son mari, le plus grand crédit dans les bureaux, eût pu lui faire obtenir quelque pension sur la gazette d'Espagne ou 510 la gazette elle-même, et que, dans la carrière qu'il embrasse, il faut plus de ménagements pour les femmes de qualité? Qu'est-ce que cela me fait, à moi? L'on sent bien que c'est pour lui seul que j'en parle. **(13)**

Il est temps de laisser cet adversaire, quoiqu'il soit à la tête des gens qui prétendent que, *n'ayant pu me soutenir en cinq actes, je me* 515 *suis mis en quatre pour ramener le public.* Et quand cela serait? Dans un moment d'oppression, ne vaut-il pas mieux sacrifier un cinquième de son bien que de le voir tout entier au pillage?

Mais ne tombez pas, cher lecteur... (Monsieur, veux-je dire), ne tombez pas, je vous prie, dans une erreur populaire qui ferait grand 520 tort à votre jugement.

Ma pièce, qui paraît n'être aujourd'hui qu'en quatre actes, est réellement et de fait en cinq, qui sont le premier, le deuxième, le troisième, le quatrième et le cinquième, à l'ordinaire.

Il est vrai que, le jour du combat, voyant les ennemis acharnés, le 525 parterre ondulant, agité, grondant au loin comme les flots de la mer, et trop certain que ces mugissements sourds, précurseurs des tempêtes, ont amené plus d'un naufrage, je vins à réfléchir que beaucoup de pièces en cinq actes (comme la mienne), toutes très bien faites d'ailleurs (comme la mienne), n'auraient pas été au diable en entier

---

QUESTIONS

13. Beaumarchais a-t-il un argument décisif pour démontrer qu'il n'a pas besoin d'éliminer le « bas comique » de sa pièce entre la première et la deuxième représentation? — Est-il plus à l'aise pour défendre le personnage de Rosine? L'allusion des lignes 502-506 sur l'avenir de Rosine : quel parti Beaumarchais en tirera-t-il dans *le Mariage de Figaro* et dans *la Mère coupable?*

530 (comme la mienne), si l'auteur eût pris un parti vigoureux (comme le mien).

« Le dieu des cabales est irrité », dis-je aux comédiens avec force :
Enfants! un sacrifice est ici nécessaire.

Alors, faisant la part au diable et déchirant mon manuscrit : « Dieu
535 des siffleurs, moucheurs, cracheurs, pousseurs et perturbateurs, m'écriai-je, il te faut du sang? Bois mon quatrième acte et que ta fureur s'apaise! »

A l'instant vous eussiez vu ce bruit infernal qui faisait pâlir et broncher[1] les acteurs, s'affaiblir, s'éloigner, s'anéantir, l'applaudisse-
540 ment lui succéder, et des bas-fonds du parterre un *bravo* général s'élever, en circulant, jusqu'aux hauts bancs du paradis[2].

De cet exposé, Monsieur, il suit que ma pièce est restée en cinq actes, qui sont le premier, le deuxième, le troisième au théâtre, le quatrième au diable et le cinquième avec les trois premiers. Tel
545 auteur même vous soutiendra que ce quatrième acte, qu'on n'y voit point, n'en est pas moins celui qui fait le plus de bien à la pièce, en ce qu'on ne l'y voit point.

Laissons jaser le monde; il me suffit d'avoir prouvé mon dire; il me suffit, en faisant mes cinq actes, d'avoir montré mon respect pour
550 Aristote, Horace, Aubignac[3] et les Modernes[4], et d'avoir mis ainsi l'honneur de la règle à couvert.

Par le second arrangement, le diable a son affaire; mon char n'en roule pas moins bien sans la cinquième roue, le public est content, je le suis aussi. Pourquoi le journal de Bouillon ne l'est-il pas? — Ah!
555 pourquoi? C'est qu'il est bien difficile de plaire à des gens qui, par métier, doivent ne jamais trouver les choses gaies assez sérieuses, ni les graves assez enjouées.

Je me flatte, Monsieur, que cela s'appelle raisonner par principes et que vous n'êtes pas mécontent de mon petit syllogisme. **(14)**
560 Reste à répondre aux observations dont quelques personnes ont honoré le moins important des drames hasardés depuis un siècle au théâtre.

Je mets à part les lettres écrites aux comédiens, à moi-même, sans signature et vulgairement appelées anonymes; on juge, à l'âpreté du

---

1. *Broncher :* commettre des erreurs, comme un cheval qui fait un faux pas; 2. *Paradis :* galerie supérieure du théâtre, où se trouvent les places les moins chères; 3. La *Poétique* d'Aristote, l'*Art poétique* d'Horace étaient les ouvrages fondamentaux dont les « doctes » avaient tiré leurs théories, et notamment l'abbé d'Aubignac, auteur de *la Pratique du théâtre* (1657); 4. Ce terme désigne ici les autres théoriciens de l'époque moderne, comme Boileau.

──────── **QUESTIONS** ────────

14. Le problème des « cinq actes » : comprenons-nous aujourd'hui que cette règle purement formelle ait eu encore tant d'importance à la fin du XVIIIᵉ siècle? Pourquoi Beaumarchais, tout en mettant les rieurs de son côté, esquive-t-il la réponse à cette objection? Quel est, au fond, le meilleur argument qu'il donne ici en faveur de la forme abrégée qu'a prise sa pièce?

565 style, que leurs auteurs, peu versés dans la critique, n'ont pas assez senti qu'une mauvaise pièce n'est point une mauvaise action, et que telle injure, convenable à un méchant homme, est toujours déplacée à un méchant écrivain. Passons aux autres.

Des connaisseurs ont remarqué que j'étais tombé dans l'incon-
570 vénient de faire critiquer des usages français par un plaisant de Séville à Séville, tandis que la vraisemblance exigeait qu'il s'étayât sur les mœurs espagnoles. Ils ont raison; j'y avais même tellement pensé que, pour rendre la vraisemblance encore plus parfaite, j'avais d'abord résolu d'écrire et de faire jouer la pièce en langage espagnol; mais un
575 homme de goût m'a fait observer qu'elle en perdrait peut-être un peu de sa gaîté pour le public de Paris, raison qui m'a déterminé à l'écrire en français; en sorte que j'ai fait, comme on voit, une multitude de sacrifices à la gaîté, mais sans pouvoir parvenir à dérider le journal de Bouillon. **(15)**

580 Un autre amateur, saisissant l'instant qu'il y avait beaucoup de monde au foyer, m'a reproché, du ton le plus sérieux, que ma pièce ressemblait à *On ne s'avise jamais de tout*[1]. — « Ressembler, Monsieur! « Je soutiens que ma pièce est *On ne s'avise jamais de tout*, lui-même. « — Et comment cela? — C'est qu'on ne s'était pas encore avisé de
585 « *ma pièce.* » — L'amateur resta court, et l'on en rit d'autant plus que celui-là qui me reprochait *On ne s'avise jamais de tout* est un homme qui ne s'est jamais avisé de rien. **(16)**

Quelques jours après (ceci est plus sérieux), chez une dame incom-
modée, un monsieur grave, en habit noir, coiffure bouffante et canne à
590 corbin[2], lequel touchait légèrement le poignet de la dame, proposa civilement plusieurs doutes sur la vérité des traits que j'avais lancés contre les médecins. « Monsieur, lui dis-je, êtes-vous ami de quelqu'un « d'eux? Je serais désolé qu'un badinage... — On ne peut pas moins; « je vois que vous ne me connaissez pas, je ne prends jamais le parti
595 « d'aucun, je parle ici pour le corps en général. » Cela me fit beaucoup chercher quel homme ce pouvait être. « En fait de plaisanterie, ajou- « tai-je, vous savez, Monsieur, qu'on ne demande jamais si l'histoire « est vraie, mais si elle est bonne. — Eh! croyez-vous moins perdre à « cet examen qu'au premier? — A merveille, docteur, dit la dame.
600 « Le monstre qu'il est! n'a-t-il pas osé parler mal aussi de nous? « Faisons cause commune. »

―――――――――

1. Opéra-comique de Sedaine, musique de Monsigny; 2. Canne dont la poignée est recourbée en forme de bec de corbeau.

――――――――― **QUESTIONS** ―――――――――

15. L' « espagnolisme » du *Barbier de Séville* : Beaumarchais a-t-il eu l'intention de faire de la « couleur locale »? Comment fait-il comprendre, sous une forme plaisante, quelle a été son intention en plaçant son sujet en Espagne?

16. La réponse à l'accusation de plagiat : pourquoi Beaumarchais peut-il se permettre d'évoquer cette critique sans cependant lui donner de réponse?

A ce mot de *docteur*, je commençai à soupçonner qu'elle parlait à son médecin. « Il est vrai, Madame et Monsieur, repris-je avec modestie, que je me suis permis ces légers torts, d'autant plus aisément
605 qu'ils tirent moins à conséquence. »

Eh! qui pourrait nuire à deux corps puissants dont l'empire embrasse l'univers et se partage le monde? Malgré les envieux, les belles y régneront toujours par le plaisir, et les médecins par la douleur; et la brillante santé nous ramène à l'amour, comme la maladie nous rend
610 à la médecine.

Cependant, je ne sais si, dans la balance des avantages, la Faculté[1] ne l'emporte pas un peu sur la beauté. Souvent on voit les belles nous renvoyer aux médecins; mais plus souvent encore les médecins nous gardent et ne nous renvoient aux belles.
615 En plaisantant donc, il faudrait peut-être avoir égard à la différence des ressentiments et songer que, si les belles se vengent en se séparant de nous, ce n'est qu'un mal négatif; au lieu que les médecins se vengent en s'en emparant, ce qui devient très positif.

Que, quand ces derniers nous tiennent, ils font de nous tout ce
620 qu'ils veulent; au lieu que les belles, toutes belles qu'elles sont, n'en font jamais que ce qu'elles peuvent.

Que le commerce des belles nous les rend bientôt moins nécessaires; au lieu que l'usage des médecins finit par nous les rendre indispensables.
625 Enfin, que l'un de ces empires ne semble établi que pour assurer la durée de l'autre puisque, plus la verte jeunesse est livrée à l'amour, plus la pâle vieillesse appartient sûrement à la médecine.

Au reste, ayant fait contre moi cause commune, il était juste, Madame et Monsieur, que je vous offrisse en commun mes justifica-
630 tions. Soyez donc persuadés que, faisant profession d'adorer les belles et de redouter les médecins, c'est toujours en badinant que je dis du mal de la beauté; comme ce n'est jamais sans trembler que je plaisante un peu la Faculté.

Ma déclaration n'est point suspecte à votre égard, Mesdames, et
635 mes plus acharnés ennemis sont forcés d'avouer que, dans un instant d'humeur où mon dépit contre une belle allait s'épancher trop librement sur toutes les autres, on m'a vu m'arrêter tout court au vingt-cinquième couplet, et, par le plus prompt repentir, faire ainsi, dans le vingt-sixième, amende honorable aux belles irritées :

640   *Sexe charmant, si je décèle*
       Votre cœur en proie au désir,
       Souvent à l'amour infidèle,
       Mais toujours fidèle au plaisir ;
       D'un badinage, ô mes Déesses!
645   *Ne cherchez point à vous venger :*

---

1. La *Faculté* de médecine.

Tel glose¹, hélas! sur vos faiblesses
Qui brûle de les partager.

Quant à vous, Monsieur le Docteur, on sait assez que Molière...
« Au désespoir, dit-il en se levant, de ne pouvoir profiter plus long-
650 temps de vos lumières : mais l'humanité qui gémit ne doit pas souffrir
de mes plaisirs. » Il me laissa, ma foi, la bouche ouverte avec ma phrase
en l'air. « Je ne sais pas, dit la belle malade en riant, si je vous par-
« donne ; mais je vois bien que notre docteur ne vous pardonne pas.
« — Le nôtre, Madame? Il ne sera jamais le mien. — Eh! pourquoi?
655 « — Je ne sais; je craindrais qu'il ne fût au-dessous de son état, puis-
« qu'il n'est jamais au-dessus des plaisanteries qu'on en peut faire. »
Ce docteur n'est pas de mes gens. L'homme assez consommé dans
son art pour en avouer de bonne foi l'incertitude, assez spirituel pour
rire avec moi de ceux qui le disent infaillible : tel est mon médecin.
660 En me rendant ses soins qu'ils appellent des visites, en me donnant ses
conseils qu'ils nomment des ordonnances, il remplit dignement et
sans faste la plus noble fonction d'une âme éclairée et sensible. Avec
plus d'esprit, il calcule plus de rapports, et c'est tout ce qu'on peut
dans un art aussi utile qu'incertain. Il me raisonne, il me console, il
665 me guide et la nature fait le reste. Aussi, loin de s'offenser de la plaisanterie, est-il le premier à l'opposer au pédantisme. A l'infatué qui
lui dit gravement : « De quatre-vingts fluxions de poitrine que j'ai
traitées cet automne, un seul malade a péri dans mes mains », mon
docteur répond en souriant : « Pour moi, j'ai prêté mes secours à plus
670 de cent cet hiver; hélas! je n'en ai pu sauver qu'un seul. » Tel est mon
aimable médecin. « — Je le connais. — Vous permettez bien que je-
« ne l'échange pas contre le vôtre. Un pédant n'aura pas plus ma
« confiance en maladie qu'une bégueule n'obtiendrait mon hom-
« mage en santé. Mais je ne suis qu'un sot. Au lieu de vous rappeler
675 « mon amende honorable au beau sexe, je devais lui chanter le couplet
« de la bégueule; il est tout fait pour lui.

Pour égayer ma poésie,
Au hasard j'assemble des traits ;
J'en fais, peintre de fantaisie,
680 *Des tableaux, jamais des portraits.*
La femme d'esprit, qui s'en moque,
Sourit finement à l'auteur ;
Pour l'imprudente qui s'en choque,
Sa colère est son délateur. **(17)**

1. *Gloser :* faire des commentaires désobligeants.

QUESTIONS
---

17. Le long badinage sur les médecins et les belles est-il encore de
notre goût? Quelle conception de la vie se dégage cependant de tout
ce passage? Est-ce par hasard que le nom de Molière est jeté dans le
débat? — La morale de Beaumarchais ne fait-elle pas écho ici à celle
qui se dégage de certaines pièces de Molière?

85 « — A propos de chanson, dit la dame, vous êtes bien honnête
« d'avoir été donner votre pièce aux Français[1]! Moi qui n'ai de petite
« loge qu'aux Italiens[2]! Pourquoi n'en avoir pas fait un opéra-
« comique? Ce fut, dit-on, votre première idée. La pièce est d'un
« genre à comporter de la musique.

690 « — Je ne sais si elle est propre à la supporter, ou si je m'étais
« trompé d'abord en le supposant; mais, sans entrer dans les raisons
« qui m'ont fait changer d'avis, celle-ci, Madame, répond à tout. »

Notre musique dramatique ressemble trop encore à notre musique
chansonnière pour en attendre un véritable intérêt ou de la gaîté
695 franche. Il faudra commencer à l'employer sérieusement au théâtre
quand on sentira bien qu'on ne doit y chanter que pour parler; quand
nos musiciens se rapprocheront de la nature, et surtout cesseront de
s'imposer l'absurde loi de toujours revenir à la première partie d'un
air après qu'ils en ont dit la seconde. Est-ce qu'il y a des reprises et
700 des rondeaux dans un drame? Ce cruel radotage est la mort de l'intérêt et dénote un vide insupportable dans les idées.

Moi qui ai toujours chéri la musique sans inconstance et même sans
infidélité, souvent, aux pièces qui m'attachent le plus, je me surprends
à pousser de l'épaule, à dire tout bas avec humeur : Eh! va donc,
705 musique! pourquoi toujours répéter? N'es-tu pas assez lente? Au
lieu de narrer vivement, tu rabâches! Au lieu de peindre la passion,
tu t'accroches aux mots! Le poète se tue à serrer l'événement, et toi
tu le délayes! Que lui sert de rendre son style énergique et pressé, si
tu l'ensevelis sous d'inutiles fredons[3]? Avec ta stérile abondance,
710 reste, reste aux chansons pour toute nourriture, jusqu'à ce que tu
connaisses le langage sublime et tumultueux des passions.

En effet, si la déclamation est déjà un abus de la narration au théâtre,
le chant, qui est un abus de la déclamation, n'est donc, comme on voit,
que l'abus de l'abus. Ajoutez-y la répétition des phrases, et voyez ce
715 que devient l'intérêt. Pendant que le vice ici va toujours en croissant,
l'intérêt marche à sens contraire; l'action s'alanguit; quelque chose
me manque; je deviens distrait; l'ennui me gagne; et si je cherche
alors à deviner ce que je voudrais, il m'arrive souvent de trouver que
je voudrais la fin du spectacle. **(18)**

720 Il est un autre art d'imitation, en général beaucoup moins avancé
que la musique, mais qui semble en ce point lui servir de leçon. Pour
la variété seulement, la danse élevée est déjà le modèle du chant.

---

1. A la Comédie-Française; 2. Aux Comédiens-Italiens, qui avaient fusionné
en 1762 avec l'Opéra-Comique; 3. *Fredon :* mode de chant qui consiste à faire plusieurs notes sur la même syllabe.

■ QUESTIONS ■

18. Les idées musicales de Beaumarchais. Dans les polémiques qui
séparent alors piccinistes et gluckistes, quel parti doit avoir les sym-
pathies de Beaumarchais? — Montrez que les idées de Beaumarchais
vont cependant au-delà des polémiques de son temps, qu'il imagine
déjà l'opéra tel que Richard Wagner le réalisera beaucoup plus tard.

Voyez le superbe Vestris[1] ou le fier d'Auberval[2] engager un pas de
caractère. Il ne danse pas encore ; mais, d'aussi loin qu'il paraît, son
725 port libre et dégagé fait déjà lever la tête aux spectateurs. Il inspire
autant de fierté qu'il promet de plaisirs. Il est parti... Pendant que le
musicien redit vingt fois ses phrases et monotone[3] ses mouvements,
le danseur varie les siens à l'infini.

Le voyez-vous s'avancer légèrement à petits bonds, reculer à grands
730 pas et faire oublier le comble de l'art par la plus ingénieuse négligence ? Tantôt sur un pied, gardant le plus savant équilibre, et sus-
pendu sans mouvement pendant plusieurs mesures, il étonne, il surprend par l'immobilité de son aplomb... Et soudain, comme s'il
regrettait le temps de repos, il part comme un trait, vole au fond du
735 théâtre, et revient, en pirouettant, avec une rapidité que l'œil peut
suivre à peine.

L'air a beau recommencer, rigaudonner[4], se répéter, se radoter, il
ne se répète point, lui ! tout en déployant les mâles beautés d'un corps
souple et puissant, il peint les mouvements violents dont son âme est
740 agitée ; il vous lance un regard passionné que ses bras mollement
ouverts rendent plus expressif ; et, comme s'il se lassait bientôt de
vous plaire, il se relève avec dédain, se dérobe à l'œil qui le suit, et la
passion la plus fougueuse semble alors naître et sortir de la plus douce
ivresse. Impétueux, turbulent, il exprime une colère si bouillante et
745 si vraie qu'il m'arrache à mon siège et me fait froncer le sourcil.
Mais, reprenant soudain le geste et l'accent d'une volupté paisible,
il erre nonchalamment avec une grâce, une mollesse et des mouvements si délicats, qu'il enlève autant de suffrages qu'il y a de regards
attachés sur sa danse enchanteresse.

750 Compositeurs, chantez comme il danse, et nous aurons, au lieu
d'opéras, des mélodrames[5] ! Mais j'entends mon éternel censeur (je
ne sais plus s'il est d'ailleurs ou de Bouillon), qui me dit : « Que prétend-on par ce tableau ? Je vois un talent supérieur, et non la danse
en général. C'est dans sa marche ordinaire qu'il faut saisir un art pour
755 le comparer, et non dans ses efforts les plus sublimes. N'avons-
nous pas... » **(19)**

1. *Vestris :* danseur florentin (1729-1808) qui débuta à l'Opéra en 1748 et renou-
vela l'art de la danse en son temps ; 2. *D'Auberval :* danseur français (1742-1806)
qui débuta en 1761 à l'Opéra, où il devint maître de ballet (1773) ; 3. *Monotoner :*
répéter avec monotonie ; 4. *Rigaudonner :* jouer sur un rythme de rigaudon. Le
rigaudon était une danse à deux temps au rythme vif ; 5. *Mélodrame :* il s'agit ici du
mélodrame musical, tel que l'Italien Métastase l'avait pratiqué dès 1720 ; J.-J. Rousseau avait composé en 1762 une pièce de ce genre, *Pygmalion*. Le mélodrame comportait des scènes dialoguées, accompagnées d'une musique dont le caractère expressif
était en harmonie avec la situation dramatique.

── **QUESTIONS** ──

19. Les idées de Beaumarchais sur la danse : en quoi, dans ce domaine
aussi, apparaît-il comme très moderne ? — Le style de Beaumarchais
dans ce passage : son enthousiasme ne rappelle-t-il pas celui de Diderot dans certains textes ? Montrez la parenté entre les idées esthétiques
de Beaumarchais et celles de Diderot.

Je l'arrête à mon tour. Eh! quoi! si je veux peindre un coursier et me former une juste idée de ce noble animal, irai-je le chercher hongre et vieux, gémissant au timon du fiacre, ou trottinant sous le plâtrier
760 qui siffle? Je le prends au haras, fier étalon, vigoureux, découplé, l'œil ardent, frappant la terre et soufflant le feu par les naseaux, bondissant de désirs et d'impatience, ou fendant l'air, qu'il électrise, et dont le brusque hennissement réjouit l'homme et fait tressaillir toutes les cavales de la contrée. Tel est mon danseur.

765 Et quand je crayonne un art, c'est parmi les plus grands sujets qui l'exercent que j'entends choisir mes modèles; tous les efforts du génie... Mais je m'éloigne trop de mon sujet; revenons au *Barbier de Séville*... ou plutôt, Monsieur, n'y revenons pas. C'est assez pour une bagatelle. Insensiblement je tomberais dans le défaut reproché trop jus-
770 tement à nos Français, de toujours faire de petites chansons sur les grandes affaires, et de grandes dissertations sur les petites. (20)

Je suis, avec le plus profond respect,

Monsieur,

Votre humble et très obéissant serviteur,

L'Auteur.

───── **QUESTIONS** ─────

20. Sur l'ensemble de la « lettre modérée ». — Pourquoi l'auteur a-t-il rédigé sa préface en forme de lettre? Sous la désinvolture apparente de la composition, quel est le sujet qui est au centre de cette préface?
— Beaumarchais polémiste : pourquoi a-t-il tenu, selon la tradition, à répondre aux critiques dans la préface de sa pièce? L'attitude qu'il prend pour se justifier est-elle l'attitude traditionnelle? Oppose-t-il beaucoup d'arguments solides aux objections de détail qu'on lui a faites? Faut-il en conclure que l'ironie est sa seule arme?
— Montrez qu'en fait il défend une certaine conception générale de l'art dramatique : laquelle? Rapprochez ses idées de celles de Diderot.
— Le ton et le style : relevez et analysez les divers procédés de style qui animent chacun des développements. Quel genre de contact s'établit entre l'auteur et le lecteur?

PERSONNAGES

LE COMTE ALMAVIVA

grand d'Espagne, amant inconnu de Rosine, paraît, au premier acte, en veste et culotte de satin; il est enveloppé d'un grand manteau brun, ou cape espagnole; chapeau noir rabattu, avec un ruban de couleur autour de la forme. Au deuxième acte, habit uniforme de cavalier, avec des moustaches et des bottines. Au troisième, habillé en bachelier; cheveux ronds, grande fraise[1] au cou, veste, culotte, bas et manteau d'abbé. Au quatrième acte, il est vêtu superbement à l'espagnole avec un riche manteau; par-dessus tout, le large manteau brun dont il se tient enveloppé.

BARTHOLO

médecin, tuteur de Rosine : habit noir, court, boutonné; grande perruque; fraise et manchettes relevées; une ceinture noire; et, quand il veut sortir de chez lui, un long manteau écarlate.

ROSINE

jeune personne d'extraction noble, et pupille de Bartholo : habillée à l'espagnole.

FIGARO

barbier de Séville : en habit de majo[2] espagnol. La tête couverte d'un rescille[3], ou filet; chapeau blanc, ruban de couleur autour de la forme, un fichu de soie attaché fort lâche à son cou, gilet et haut-de-chausses de satin, avec des boutons et boutonnières frangées d'argent; une grande ceinture de soie, les jarretières nouées avec des glands qui pendent sur chaque jambe; veste de couleur tranchante, à grands revers de la couleur du gilet; bas blancs et souliers gris.

---

1. *Fraise :* double collerette à plis empesés; **2.** *Majo :* élégant; **3.** *Rescille :* voir page 34, note 4.

DON BAZILE

organiste, maître à chanter de Rosine : chapeau noir rabattu, soutanelle[1] et long manteau, sans fraise ni manchettes.

LA JEUNESSE

vieux domestique de Bartholo.

L'ÉVEILLÉ

autre valet de Bartholo, garçon niais et endormi. Tous deux habillés en Galiciens[2] : tous les cheveux dans la queue; gilet couleur de chamois; large ceinture de peau, avec une boucle; culotte bleue et veste de même, dont les manches, ouvertes aux épaules pour le passage des bras, sont pendantes par-derrière.

UN NOTAIRE

UN ALCADE

homme de justice : tient une longue baguette[3] blanche à la main.

PLUSIEURS ALGUAZILS[4] ET VALETS

avec des flambeaux.

La scène est à Séville, dans la rue et sous les fenêtres de Rosine, au premier acte; et, le reste de la pièce, dans la maison du Docteur Bartholo.

---

1. *Soutanelle :* petite soutane descendant aux genoux; 2. *Galiciens :* habitants de la Galice, ancienne province d'Espagne dont le chef-lieu était Saint-Jacques-de-Compostelle; 3. *Baguette :* attribut de sa fonction; 4. *Alguazils :* agents de police.

LE BARBIER DE SÉVILLE

ACTE PREMIER

Le théâtre représente une rue de Séville, où toutes les croisées sont grillées.

SCÈNE PREMIÈRE. — LE COMTE, *seul, en grand manteau brun et chapeau rabattu. Il tire sa montre en se promenant.*

Le jour est moins avancé que je ne croyais. L'heure à laquelle elle a coutume de se montrer derrière sa jalousie[1] est encore éloignée. N'importe; il vaut mieux arriver trop tôt que de manquer l'instant de la voir. Si quelque aimable[2] de la cour
5 pouvait me deviner à cent lieues de Madrid, arrêté tous les matins sous les fenêtres d'une femme à qui je n'ai jamais parlé, il me prendrait pour un Espagnol du temps d'Isabelle[3]... Pourquoi non? Chacun court après le bonheur. Il est pour moi dans le cœur de Rosine... Mais quoi! suivre une femme à
10 Séville, quand Madrid et la cour offrent de toutes parts des plaisirs si faciles?... Et c'est cela même que je fuis. Je suis las des conquêtes que l'intérêt, la convenance ou la vanité nous présentent sans cesse. Il est si doux d'être aimé pour soi-même! Et si je pouvais m'assurer sous ce déguisement... Au
15 diable l'importun! **(1)**

SCÈNE II. — FIGARO, LE COMTE, *caché.*

FIGARO, *une guitare sur le dos, attachée en bandoulière avec un large ruban; il chantonne gaiement, un papier et un crayon à la main.* —

> Bannissons le chagrin,
> Il nous consume :
> Sans le feu du bon vin

---

1. *Jalousie :* cadre de fenêtre muni de lamelles ou de croisillons de bois qui permettent de voir sans être vu; celle-ci peut être fermée à clef; 2. *Aimable :* élégant et galant (adjectif pris comme nom); 3. *Isabelle* la Catholique, reine d'Espagne (1451-1504), protectrice de Christophe Colomb : son nom symbolise ici un lointain passé, le temps des mœurs chevaleresques.

■ QUESTIONS ■

1. SUR LA SCÈNE PREMIÈRE. — L'exposition dans cette scène (temps, lieu de l'action, condition et situation des personnages). Cette exposition est-elle complète? Permet-elle de voir dans quel genre de comédie on s'engage?
— L'emploi du monologue facilite-t-il l'exposition? Est-il habituel de débuter ainsi par un monologue? La vraisemblance en souffre-t-elle?

> Qui nous rallume,
> 5   Réduit à languir,
> L'homme, sans plaisir,
> Vivrait comme un sot,
> Et mourrait bientôt[1].

Jusque-là ceci ne va pas mal, hein, hein?

> 10   Et mourrait bientôt...
> Le vin et la paresse
> Se disputent mon cœur.

Eh non! ils ne se le disputent pas, ils y règnent paisiblement ensemble...

> 15   Se partagent... mon cœur.

Dit-on : se partagent?... Eh! mon Dieu, nos faiseurs d'opéras-comiques n'y regardent pas de si près. Aujourd'hui, ce qui ne vaut pas la peine d'être dit, on le chante. *(Il chante.)*

> Le vin et la paresse
> 20   Se partagent mon cœur.

Je voudrais finir par quelque chose de beau, de brillant, de scintillant, qui eût l'air d'une pensée. *(Il met un genou en terre, et écrit en chantant.)*

> Se partagent mon cœur.
> 25   Si l'une a ma tendresse...
> L'autre fait mon bonheur.

Fi donc! c'est plat. Ce n'est pas ça... Il me faut une opposition, une antithèse :

> Si l'une... est ma maîtresse,
> 30   L'autre...

Eh! parbleu, j'y suis :

> L'autre est mon serviteur.

Fort bien, Figaro!... *(Il écrit en chantant.)*

> Le vin et la paresse
> 35   Se partagent mon cœur.
> Si l'une est ma maîtresse,
> L'autre est mon serviteur.
> L'autre est mon serviteur.
> L'autre est mon serviteur.

---

1. Conçu d'abord comme un opéra-comique, *le Barbier de Séville*, devenu une comédie, est resté parsemé d'airs et de chansons; il constitue ce qu'on appelait alors une « comédie à vaudevilles ».

40 Hem, hem, quand il y aura des accompagnements là-dessous, nous verrons encore, messieurs de la cabale[1], si je ne sais ce que je dis... **(2)** *(Il aperçoit le comte.)* J'ai vu cet abbé-là quelque part. *(Il se relève.)*

LE COMTE, *à part.* — Cet homme ne m'est pas inconnu.

45 FIGARO. — Eh non, ce n'est pas un abbé! Cet air altier et noble...

LE COMTE. — Cette tournure grotesque...

FIGARO. — Je ne me trompe point : c'est le comte Almaviva.

LE COMTE. — Je crois que c'est ce coquin de Figaro.

50 FIGARO. — C'est lui-même, monseigneur.

LE COMTE. — Maraud! si tu dis un mot...

FIGARO. — Oui, je vous reconnais; voilà les bontés familières dont vous m'avez toujours honoré.

LE COMTE. — Je ne te reconnaissais pas, moi. Te voilà si 55 gros et si gras...

FIGARO. — Que voulez-vous, monseigneur, c'est la misère.

LE COMTE. — Pauvre petit! Mais que fais-tu à Séville? Je t'avais autrefois recommandé dans les bureaux pour un emploi.

FIGARO. — Je l'ai obtenu, monseigneur; et ma reconnais-60 sance...

LE COMTE. — Appelle-moi Lindor. Ne vois-tu pas, à mon déguisement, que je veux être inconnu?

FIGARO. — Je me retire.

LE COMTE. — Au contraire. J'attends ici quelque chose, et 65 deux hommes qui jasent sont moins suspects qu'un seul qui

---

1. *Cabale :* manœuvres concertées pour faire échouer une pièce. Beaumarchais pouvait en parler, ses deux premières pièces, *Eugénie* et *les Deux Amis*, ayant eu à en souffrir.

──────── **QUESTIONS** ────────

2. Ce monologue de Figaro est-il du même genre que celui du Comte? Comment Beaumarchais a-t-il utilisé ici les restes de son opéra-comique? — Quels détails permettaient déjà aux spectateurs de 1775 de trouver une ressemblance entre Figaro et Beaumarchais? — Le comique de ce passage pour le spectateur d'aujourd'hui : comment est ridiculisé le « poète » en plein travail de création? Est-ce tout à fait le même effet que dans les scènes de Molière où l'on voit Mascarille, Oronte ou Trissotin réciter leurs vers?

se promène. Ayons l'air de jaser. Eh bien, cet emploi? (3)

FIGARO. — Le ministre, ayant égard à la recommandation de Votre Excellence, me fit nommer sur-le-champ garçon apothicaire.

70 LE COMTE. — Dans les hôpitaux de l'armée?

FIGARO. — Non; dans les haras d'Andalousie.

LE COMTE, *riant*. — Beau début!

FIGARO. — Le poste n'était pas mauvais, parce qu'ayant le district des pansements et des drogues, je vendais souvent
75 aux hommes de bonnes médecines de cheval...

LE COMTE. — Qui tuaient les sujets du roi!

FIGARO. — Ah, ah, il n'y a point de remède universel — ... mais qui n'ont pas laissé de guérir[1] quelquefois des Galiciens, des Catalans, des Auvergnats.

80 LE COMTE. — Pourquoi donc l'as-tu quitté?

FIGARO. — Quitté? C'est bien lui-même; on m'a desservi auprès des puissances :

L'envie aux doigts crochus, au teint pâle et livide...

LE COMTE. — Oh grâce! grâce, ami! Est-ce que tu fais aussi
85 des vers? Je t'ai vu là griffonnant sur ton genou, et chantant dès le matin.

FIGARO. — Voilà précisément la cause de mon malheur, Excellence. Quand on a rapporté au ministre que je faisais, je puis dire assez joliment, des bouquets à Chloris[2]; que j'en-
90 voyais des énigmes aux journaux[3], qu'il courait des madrigaux[4] de ma façon; en un mot, quand il a su que j'étais imprimé tout vif, il a pris la chose au tragique et m'a fait ôter mon emploi, sous prétexte que l'amour des lettres est incompatible avec l'esprit des affaires.

---

1. Qui n'ont pas manqué de guérir; 2. *Bouquets à Chloris :* petits poèmes adressés à une femme (désignée sous un nom poétique traditionnel, comme celui de Chloris), pour sa fête ou pour quelque autre circonstance; 3. Ces jeux d'esprit se trouvaient dans *le Mercure*, qui donnait la solution au numéro suivant; 4. *Madrigal :* courte poésie galante à la mode dans les salons dès le XVIIe siècle.

QUESTIONS

3. Comment l'exposition est-elle complétée par ces premières répliques échangées entre les deux personnages? Que sait-on de plus maintenant?

95 LE COMTE. — Puissamment raisonné! Et tu ne lui fis pas représenter...

✗FIGARO. — Je me crus trop heureux d'en[1] être oublié, persuadé qu'un grand nous fait assez de bien quand il ne nous fait pas de mal.

100 LE COMTE. — Tu ne dis pas tout. Je me souviens qu'à mon service tu étais un assez mauvais sujet.

FIGARO. — Eh! mon Dieu, monseigneur, c'est qu'on veut que le pauvre soit sans défaut.

LE COMTE. — Paresseux, dérangé...

105 FIGARO. — Aux vertus qu'on exige dans un domestique, Votre Excellence connaît-elle beaucoup de maîtres qui fussent dignes d'être valets?

LE COMTE, *riant.* — Pas mal! Et tu t'es retiré en cette ville?

FIGARO. — Non, pas tout de suite. **(4)**

110 LE COMTE, *l'arrêtant.* — Un moment... J'ai cru que c'était elle... Dis toujours, je t'entends de reste. **(5)**

FIGARO. — De retour à Madrid, je voulus essayer de nouveau mes talents littéraires; et le théâtre me parut un champ d'honneur...

115 LE COMTE. — Ah! miséricorde!

FIGARO (*Pendant sa réplique, le Comte regarde avec attention du côté de la jalousie*). — En vérité, je ne sais comment je n'eus pas le plus grand succès, car j'avais rempli le parterre des plus excellents travailleurs; des mains... comme
120 des battoirs; j'avais interdit les gants, les cannes, tout ce qui ne produit que des applaudissements[2] sourds; et d'honneur,

---

1. En : de lui; le pronom *en* peut représenter une personne en français classique;
2. *Applaudissements :* tout bruit de manifestation qui marque l'approbation.

──── **QUESTIONS** ────────────

4. Les premières étapes de la carrière de Figaro : imaginez pourquoi le Comte lui avait donné une recommandation. Est-ce le souci de son intérêt qui détermine Figaro à essayer de nouveaux métiers? Est-ce un jeu pour lui? Relevez ses premières maximes contre les injustices de la société.
5. Utilité de cette réplique pour l'action.

avant la pièce, le café[1] m'avait paru dans les meilleures dispositions pour moi. Mais les efforts de la cabale[2]...

LE COMTE. — Ah! la cabale! monsieur l'auteur tombé!

125 FIGARO. — Tout comme un autre; pourquoi pas? Ils m'ont sifflé; mais si jamais je puis les rassembler...

LE COMTE. — L'ennui te vengera bien d'eux?

FIGARO. — Ah! comme je leur en garde, morbleu!

LE COMTE. — Tu jures! Sais-tu qu'on n'a que vingt-quatre 130 heures, au Palais, pour maudire ses juges?

FIGARO. — On a vingt-quatre ans au théâtre; la vie est trop courte pour user un pareil ressentiment.

LE COMTE. — Ta joyeuse colère me réjouit. Mais tu ne me dis pas ce qui t'a fait quitter Madrid. (6)

135 FIGARO. — C'est mon bon ange, Excellence, puisque je suis assez heureux pour retrouver mon ancien maître. Voyant à Madrid que la république des lettres était celle des loups, toujours armés les uns contre les autres, et que, livrés au mépris où ce risible acharnement les conduit, tous les insectes, 140 les moustiques, les cousins, les critiques, les maringouins[3], les envieux, les feuillistes[4], les libraires, les censeurs[5], et tout ce qui s'attache à la peau des malheureux gens de lettres, achevait de déchiqueter et sucer le peu de substance qui leur restait; fatigué d'écrire, ennuyé de moi, dégoûté des autres, abîmé de 145 dettes et léger d'argent; à la fin convaincu que l'utile revenu du rasoir est préférable aux vains honneurs de la plume, j'ai quitté Madrid; et, mon bagage en sautoir, parcourant philo-

1. Le café Procope, qui se trouvait en face de la Comédie-Française, alors installée sur la rive gauche de la Seine (auj. rue de l'Ancienne-Comédie); les défenseurs et les adversaires des pièces nouvelles s'y réunissaient pour y organiser leurs manifestations; 2. *Cabale* : voir page 53, note 1; 3. *Maringouins* : moustiques des marais dans les pays chauds; calembour sur le nom de *Marin* (1721-1809), censeur royal et directeur de *la Gazette de France* (1771-1774), que Beaumarchais avait pris à partie dans ses *Mémoires*, parce qu'il était ami de Goëzman; 4. *Feuilliste* : journaliste; le mot semble bien un néologisme de Beaumarchais, pour désigner ce qu'on appelait couramment « nouvelliste »; 5. Toute pièce de théâtre, comme toute publication écrite, était soumise à l'autorisation préalable de la censure royale.

QUESTIONS

6. La satire des mœurs théâtrales. Comment ce passage confirme-t-il la ressemblance entre Figaro et Beaumarchais? — Le Comte donne-t-il une juste appréciation de l'attitude de Figaro en parlant de sa *joyeuse colère*? Quel est, d'une façon générale, le rôle du Comte dans cette partie de la scène?

sophiquement les deux Castilles, la Manche, l'Estramadure,
la Sierra-Morena, l'Andalousie[1]; accueilli dans une ville,
150 emprisonné dans l'autre, et partout supérieur aux événements;
loué par ceux-ci, blâmé[2] par ceux-là; aidant au bon temps,
supportant le mauvais; me moquant des sots, bravant les
méchants; riant de ma misère, et faisant la barbe à tout le
monde, vous me voyez enfin établi dans Séville, et prêt à servir
155 de nouveau Votre Excellence en tout ce qu'il lui plaira de
m'ordonner. (7)

LE COMTE. — Qui t'a donné une philosophie aussi gaie?

FIGARO. — L'habitude du malheur. Je me presse de rire
de tout, de peur d'être obligé d'en pleurer.*(8) Que regardez-
160 vous donc toujours de ce côté?

LE COMTE. — Sauvons-nous.

FIGARO. — Pourquoi?

LE COMTE. — Viens donc, malheureux! tu me perds. *(Ils
se cachent.)* (9)

1. Du nord au sud : les provinces de Nouvelle-Castille, de Vieille-Castille, de
l'Estrémadure, de la Manche, de la Sierra Morena et de l'Andalousie constituent
une bonne part du territoire espagnol; 2. Allusion si directe au *blâme* infligé à Beaumarchais par le parlement l'année précédente, que le membre de phrase dut être
supprimé à la première représentation.

───────── QUESTIONS ─────────

7. La seconde partie de la carrière de Figaro : a-t-il l'impression
d'avoir subi un échec? Est-ce par amour de la sagesse qu'il a renoncé
aux aventures littéraires pour revenir à son métier? — La satire de la
république des lettres : quels sont les deux fléaux qui sévissent dans la
vie littéraire? En quoi Beaumarchais se révèle-t-il ici l'héritier de la pensée philosophique du siècle? — Analysez le rythme de cette tirade, sa
richesse verbale; ce « morceau de bravoure » placé à ce moment du
dialogue s'insère-t-il bien dans le mouvement de la scène? — Comparez ce monologue à celui du *Mariage de Figaro* (acte V, scène III).
8. La philosophie de Figaro : est-ce réellement celle d'un homme du
peuple? ou celle d'un intellectuel qui pressent la ruine d'un ordre social
menacé?
9. Sur l'ensemble de la scène II. — La composition de cette scène :
les confidences de Figaro sur son passé constituent-elles un hors-d'œuvre
dans la conduite de l'action? pourquoi était-il nécessaire de connaître
la carrière du personnage?
— La personnalité de Figaro : comment imaginer son physique? Sa
condition, ses ambitions. Sa révolte contre la société n'est-elle pas plus
verbale que réelle?
— Les rapports entre Almaviva et Figaro restent-ils les rapports
traditionnels du maître et du valet dans la comédie? Les sentiments
que traduit leur attitude à l'égard l'un de l'autre.
— L'espagnolisme : comment Beaumarchais suggère-t-il lui-même
de ne pas trop prendre au sérieux les traits de mœurs espagnoles?

* I used to be disgusted, but now I
try to be amused.

Scène III. — BARTHOLO, ROSINE.

*(La jalousie du premier étage s'ouvre,
et Bartholo et Rosine se mettent à la fenêtre.)*

ROSINE. — Comme le grand air fait plaisir à respirer!... Cette jalousie s'ouvre si rarement...

BARTHOLO. — Quel papier tenez-vous là?

ROSINE. — Ce sont des couplets de *la Précaution inutile*, que
5 mon maître à chanter m'a donnés hier.

BARTHOLO. — Qu'est-ce que *la Précaution inutile?*

ROSINE. — C'est une comédie nouvelle. **(10)**

BARTHOLO. — Quelque drame encore! quelque sottise d'un nouveau genre[1]!

10 ROSINE. — Je n'en sais rien.

BARTHOLO. — Euh, euh, les journaux et l'autorité nous en feront raison. Siècle barbare!...

ROSINE. — Vous injuriez toujours notre pauvre siècle.

BARTHOLO. — Pardon de la liberté! Qu'a-t-il produit pour
15 qu'on le loue? Sottises de toute espèce : la liberté de penser, l'attraction[2], l'électricité, le tolérantisme[3], l'inoculation[4], le quinquina[5], l'*Encyclopédie*[6], et les drames[7]... **(11)**

---

1. Bartholo n'aimait pas les drames. Peut-être avait-il fait quelque tragédie dans sa jeunesse (note de Beaumarchais); 2. *L'attraction* universelle, découverte par Newton vers 1683, avait été considérée à juste titre par les philosophes du XVIIIᵉ siècle comme la plus grande conquête de la science; Voltaire l'avait célébrée dans un poème *Sur la philosophie de Newton* (1736), dédié à Mᵐᵉ du Châtelet; 3. *Tolérantisme :* doctrine philosophique qui se fonde sur la tolérance, par exemple la pensée de Voltaire; le nom en *isme* laisse voir l'hostilité de Bartholo, qui veut dénoncer l'esprit systématique d'une telle philosophie; 4. *L'inoculation* de la variole (ou vaccination) en était encore à ses débuts et fort discutée, surtout par les médecins traditionalistes; 5. *Le quinquina*, importé d'Amérique au XVIIᵉ siècle, avait déjà été célébré par La Fontaine dans un poème (1679); il était surtout considéré comme un médicament; 6. *L'Encyclopédie*, le dictionnaire dirigé par Diderot et comportant dix-sept volumes de textes, venait d'être terminé par la publication du onzième et dernier volume des planches (1772); 7. Il s'agit du *drame* tel que Diderot l'avait défini et pratiqué; Beaumarchais s'y était aussi essayé sans grand succès (voir Résumé chronologique de la vie de Beaumarchais).

——— QUESTIONS ———

10. A quel genre de comique font appel ces répliques?
11. Commentez la dernière phrase en montrant qu'elle résume parfaitement les différents aspects du progrès au XVIIIᵉ siècle. Quels traits Beaumarchais ajoute-t-il ici au caractère traditionnel du tuteur jaloux? Comment se présente le conflit des générations?

Almaviva, interprété par Lecomte, comédien de l'Odéon
(première moitié du XIXᵉ siècle).

ROSINE (*Le papier lui échappe et tombe dans la rue*). — Ah!
ma chanson! ma chanson est tombée en vous écoutant; courez,
20 courez donc, monsieur! ma chanson, elle sera perdue!

BARTHOLO. — Que diable aussi, l'on tient ce qu'on tient.
(*Il quitte le balcon.*)

ROSINE *regarde en dedans et fait signe dans la rue.* — St, st
(*Le Comte paraît*); ramassez vite et sauvez-vous. (*Le Comte
25 ne fait qu'un saut, ramasse le papier et rentre.*)

BARTHOLO *sort de la maison et cherche.* — Où donc est-il?
Je ne vois rien.

ROSINE. — Sous le balcon, au pied du mur.

BARTHOLO. — Vous me donnez là une jolie commission!
30 Il est donc passé quelqu'un?

ROSINE. — Je n'ai vu personne.

BARTHOLO, *à lui-même.* — Et moi qui ai la bonté de chercher!... Bartholo, vous n'êtes qu'un sot, mon ami : ceci doit
vous apprendre à ne jamais ouvrir de jalousies sur la rue. (*Il
35 rentre.*)

ROSINE, *toujours au balcon.* — Mon excuse est dans mon
malheur : seule, enfermée, en butte à la persécution d'un
homme odieux, est-ce un crime de tenter à sortir d'esclavage?

BARTHOLO, *paraissant au balcon.* — Rentrez, signora[1]; c'est
40 ma faute si vous avez perdu votre chanson; mais ce malheur
ne vous arrivera plus, je vous jure. (*Il ferme la jalousie à la
clef.*) **(12) (13)**

---

1. Madame, en italien; terme qui crée une apparence de couleur locale, sinon
espagnole, du moins méditerranéenne; il est conforme aux règles de la politesse
que Bartholo dise « Madame » à une femme, même non mariée, qui est de haute
naissance.

─────── ■ QUESTIONS ───────

12. La part du comique visuel dans le jeu de la chanson perdue. A
quel épisode de *l'École des femmes* pense-t-on en voyant Rosine laisser
tomber sa chanson par la fenêtre? Différences et ressemblances entre
la pièce de Beaumarchais et celle de Molière. Est-il important que Bartholo ne soit pas dupe du stratagème?

13. SUR L'ENSEMBLE DE LA SCÈNE III. — La première image de Bartholo et de Rosine : cette scène rapide donne-t-elle beaucoup de renseignements sur les deux personnages?

— Comparez les deux personnages à Arnolphe et Agnès de *l'École
des femmes*. — Pourquoi Bartholo est-il, dès l'abord, plus antipathique
qu'Arnolphe? — Rosine a-t-elle la naïveté d'Agnès? Comment Beaumarchais invite-t-il le spectateur à excuser le mensonge et la ruse de
Rosine?

Scène IV. — LE COMTE, FIGARO.

(Ils entrent avec précaution.)

LE COMTE. — A présent qu'ils se sont retirés, examinons cette chanson dans laquelle un mystère est sûrement renfermé. C'est un billet !

FIGARO. — Il demandait ce que c'est que *la Précaution*
5 *inutile !*

LE COMTE *lit vivement.* — « Votre empressement excite ma curiosité : sitôt que mon tuteur sera sorti, chantez indifféremment, sur l'air connu de ces couplets, quelque chose qui m'apprenne enfin le nom, l'état et les intentions de celui qui
10 paraît s'attacher si obstinément à l'infortunée Rosine. » **(14)**

FIGARO, *contrefaisant la voix de Rosine.* — Ma chanson, ma chanson est tombée ; courez, courez donc ; *(Il rit.)* ah, ah, ah ! Oh ! ces femmes ! voulez-vous donner de l'adresse à la plus ingénue ? enfermez-la.

15 LE COMTE. — Ma chère Rosine !

FIGARO. — Monseigneur, je ne suis plus en peine des motifs de votre mascarade ; vous faites ici l'amour en perspective[1].

LE COMTE. — Te voilà instruit ; mais si tu jases...

FIGARO. — Moi, jaser ! Je n'emploierai point pour vous
20 rassurer les grandes phrases d'honneur et de dévouement dont on abuse à la journée ; je n'ai qu'un mot : mon intérêt vous répond de moi ; pesez tout à cette balance, et... **(15)**

LE COMTE. — Fort bien. Apprends donc que le hasard m'a fait rencontrer au Prado[2], il y a six mois, une jeune personne
25 d'une beauté...! Tu viens de la voir. Je l'ai fait chercher en vain par tout Madrid. Ce n'est que depuis peu de jours que

---

1. Vous avez la perspective d'une aventure amoureuse ; 2. *Prado :* grande promenade de Madrid.

——— **QUESTIONS** ———

14. Le style de ce billet ; comparez-le au texte de la lettre qu'Agnès adresse à Horace (l'*École des femmes*, acte III, scène IV). Montrez que se révèle, outre la différence d'éducation, une différence de caractère entre les deux jeunes filles.

15. Le « réalisme » de Figaro : le Barbier est-il aussi intéressé qu'il le dit ? Pourquoi Beaumarchais moraliste fait-il son Figaro plus cynique en paroles qu'en action ?

j'ai découvert qu'elle s'appelle Rosine, est d'un sang noble, orpheline, et mariée à un vieux médecin de cette ville, nommé Bartholo.

30   FIGARO. — Joli oiseau, ma foi! difficile à dénicher! Mais qui vous a dit qu'elle était femme du docteur?

LE COMTE. — Tout le monde.

FIGARO. — C'est une histoire qu'il a forgée en arrivant de Madrid, pour donner le change aux galants et les écarter;
35 elle n'est encore que sa pupille, mais bientôt...

LE COMTE, *vivement*. — Jamais!... Ah! quelle nouvelle! J'étais résolu de tout oser pour lui présenter mes regrets, et je la trouve libre! Il n'y a pas un moment à perdre; il faut m'en faire aimer, et l'arracher à l'indigne engagement qu'on
40 lui destine. Tu connais donc ce tuteur?

FIGARO. — Comme ma mère.

LE COMTE. — Quel homme est-ce?

FIGARO, *vivement*. — C'est un beau gros, court, jeune vieillard, gris pommelé, rusé, rasé, blasé, qui guette, et furette, et
45 gronde, et geint tout à la fois[1]. **(16)**

LE COMTE, *impatienté*. — Eh! je l'ai vu. Son caractère?

FIGARO. — Brutal, avare, amoureux et jaloux à l'excès de sa pupille, qui le hait à la mort.

LE COMTE. — Ainsi, ses moyens de plaire sont...

50   FIGARO. — Nuls.

LE COMTE. — Tant mieux. Sa probité?

FIGARO. — Tout juste autant qu'il en faut pour n'être point pendu.

LE COMTE. — Tant mieux. Punir un fripon en se rendant
55 heureux...

FIGARO. — C'est faire à la fois le bien public et particulier : chef-d'œuvre de morale, en vérité, monseigneur!

---

1. A l'origine, le portrait était beaucoup plus chargé et plus long.

───── **QUESTIONS** ─────

16. Étudiez, à travers cette réplique, les procédés auxquels se complaît la verve rabelaisienne de Figaro. Ce portrait nous apprend-il quelque chose de nouveau sur Bartholo?

LE COMTE. — Tu dis que la crainte des galants lui fait fermer sa porte?

60 FIGARO. — A tout le monde : s'il pouvait la calfeutrer...

LE COMTE. — Ah! diable, tant pis. Aurais-tu de l'accès chez lui?

FIGARO. — Si j'en ai! *Primo*, la maison que j'occupe appartient au docteur, qui m'y loge *gratis*.

65 LE COMTE. — Ah! ah!

FIGARO. — Oui. Et moi, en reconnaissance, je lui promets dix pistoles[1] d'or par an, *gratis* aussi.

LE COMTE, *impatienté*. — Tu es son locataire?

FIGARO. — De plus, son barbier, son chirurgien, son apo-
70 thicaire[2], il ne se donne pas dans sa maison un coup de rasoir, de lancette ou de piston[3], qui ne soit de la main de votre serviteur. (17)

LE COMTE *l'embrasse*. — Ah! Figaro, mon ami, tu seras mon ange, mon libérateur, mon dieu tutélaire.

75 FIGARO. — Peste! comme l'utilité vous a bientôt rapproché les distances! Parlez-moi des gens passionnés!

LE COMTE. — Heureux Figaro, tu vas voir ma Rosine! tu vas la voir! Conçois-tu ton bonheur?

FIGARO. — C'est bien là un propos d'amant! Est-ce que je
80 l'adore, moi? Puissiez-vous prendre ma place! (18)

LE COMTE. — Ah! si l'on pouvait écarter tous les surveillants!

---

1. *Pistole :* monnaie d'or espagnole qui valait dix livres; le terme fut ensuite employé en France comme monnaie de compte avec la même valeur. Il ne faut donc pas voir dans ce mot l'intention de faire de la « couleur locale »; 2. Les barbiers continuaient encore, selon une ancienne tradition, à servir d'aides aux médecins pour les saignées, les petites opérations, les soins et la fourniture de médicaments; 3. *Piston :* seringue pour les clystères.

─────── **QUESTIONS** ───────

17. Importance de tous ces détails pour la suite de l'exposition; comment Beaumarchais fait-il aisément entrer ces renseignements dans le mouvement de la scène?

18. L'ironie de Figaro face à l'enthousiasme d'Almaviva : quels sont les différents sentiments du Barbier en voyant le Comte à la fois si heureux et si reconnaissant?

FIGARO. — C'est à quoi je rêvais.

LE COMTE. — Pour douze heures seulement!

FIGARO. — En occupant les gens de leur propre intérêt, on
les empêche de nuire à l'intérêt d'autrui.

LE COMTE. — Sans doute. Eh bien?

FIGARO, *rêvant*. — Je cherche dans ma tête si la pharmacie
ne fournirait pas quelques petits moyens innocents...

LE COMTE. — Scélérat!

FIGARO. — Est-ce que je veux leur nuire? Ils ont tous besoin
de mon ministère. Il ne s'agit que de les traiter ensemble.

LE COMTE. — Mais ce médecin peut prendre un soupçon.

FIGARO. — Il faut marcher si vite, que le soupçon n'ait pas
le temps de naître. Il me vient une idée : le régiment de Royal-
Infant[1] arrive en cette ville.

LE COMTE. — Le colonel est de mes amis.

FIGARO. — Bon. Présentez-vous chez le docteur en habit de
cavalier, avec un billet de logement; il faudra bien qu'il vous
héberge; et moi, je me charge du reste.

LE COMTE. — Excellent!

FIGARO. — Il ne serait même pas mal que vous eussiez l'air
entre deux vins...

LE COMTE. — A quoi bon?

FIGARO. — Et le mener un peu lestement sous cette apparence déraisonnable.

LE COMTE. — A quoi bon?

FIGARO. — Pour qu'il ne prenne aucun ombrage, et vous
croie plus pressé de dormir que d'intriguer chez lui.

LE COMTE. — Supérieurement vu! Mais que n'y vas-tu, toi?

FIGARO. — Ah! oui, moi! Nous serons bien heureux s'il
ne vous reconnaît pas, vous qu'il n'a jamais vu. Et comment
vous introduire après?

---

1. Nom de régiment forgé à la manière des appellations de certaines unités de
l'armée française : Royal-Étranger, Royal-Artillerie, etc.

LE COMTE. — Tu as raison. **(19)**

FIGARO. — C'est que vous ne pourrez peut-être pas soutenir
115 ce personnage difficile. Cavalier... pris de vin...

LE COMTE. — Tu te moques de moi. *(Prenant un ton ivre.)*
N'est-ce point ici la maison du docteur Bartholo, mon ami?

FIGARO. — Pas mal, en vérité; vos jambes seulement un peu
plus avinées. *(D'un ton plus ivre.)* N'est-ce pas ici la maison...?

120 LE COMTE. — Fi donc! tu as l'ivresse du peuple.

FIGARO. — C'est la bonne; c'est celle du plaisir. **(20)**

LE COMTE. — La porte s'ouvre.

FIGARO. — C'est notre homme : éloignons-nous jusqu'à
ce qu'il soit parti. **(21)**

Scène V. — LE COMTE *et* FIGARO, *cachés;*
BARTHOLO.

BARTHOLO *sort en parlant à la maison.* — Je reviens à l'instant; qu'on ne laisse entrer personne. Quelle sottise à moi
d'être descendu! Dès[1] qu'elle m'en priait, je devais bien m'en
douter... Et Bazile qui ne vient pas! Il devait tout arranger

---

1. *Dès que :* du moment que, puisque.

──────── **QUESTIONS** ────────────────────────

19. Le plan d'action de Figaro : quel rôle traditionnel du valet de
comédie endosse-t-il ici? — Pourquoi mettre le spectateur au courant
de tous les détails de l'entreprise? N'est-ce pas enlever une part de l'intérêt à ce qui va suivre?

20. Cette répétition de la scène de l'ivresse est-elle indispensable?
Quels effets comiques en tire Beaumarchais? L'esprit des deux dernières
répliques.

21. Sur l'ensemble de la scène iv. — Montrez que l'apparition de
Rosine et de Bartholo à la scène iii a permis de poursuivre l'exposition
(quels éléments nouveaux apprenons-nous sur Figaro et Bartholo?) et
d'engager l'action (l'alliance de Figaro et du Comte contre Bartholo).
— Comment la moralité de la comédie se dessine-t-elle dans cette
scène (notamment lignes 54-57)? Quelle est la réaction d'Almaviva en
apprenant que Rosine n'est pas mariée (lignes 36-40)?

5 pour que mon mariage se fît secrètement demain : et point
de nouvelles! Allons voir ce qui peut l'arrêter. **(22)**

Scène VI. — LE COMTE, FIGARO.

LE COMTE. — Qu'ai-je entendu? Demain il épouse Rosine
en secret!

FIGARO. — Monseigneur, la difficulté de réussir ne fait
qu'ajouter à la nécessité d'entreprendre.

5 LE COMTE. — Quel est donc ce Bazile qui se mêle de son
mariage?

FIGARO. — Un pauvre hère qui montre la musique à sa
pupille, infatué de son art, friponneau, besogneux, à genoux
devant un écu, et dont il sera facile de venir à bout, monsei-
10 gneur... **(23)** *(Regardant à la jalousie.)* La v'là, la v'là.

LE COMTE. — Qui donc?

FIGARO. — Derrière sa jalousie, la voilà, la voilà. Ne regardez pas, ne regardez donc pas!

LE COMTE. — Pourquoi?

15 FIGARO. — Ne vous écrit-elle pas : *Chantez indifféremment?*
c'est-à-dire : chantez comme si vous chantiez... seulement
pour chanter. Oh! la v'là, la v'là.

LE COMTE. — Puisque j'ai commencé à l'intéresser sans
être connu d'elle, ne quittons point le nom de Lindor que
20 j'ai pris; mon triomphe en aura plus de charmes. **(24)** *(Il
déploie le papier que Rosine a jeté.)* Mais comment chanter sur
cette musique? Je ne sais pas faire de vers, moi.

FIGARO. — Tout ce qui vous viendra, monseigneur, est
excellent : en amour, le cœur n'est pas difficile sur les pro-
25 ductions de l'esprit... Et prenez ma guitare.

QUESTIONS
---

22. SUR LA SCÈNE V. — Importance de cette très courte scène : pour
la connaissance du caractère de Bartholo, pour l'intrigue. Peut-on prévoir l'influence qu'aura sur le rythme de l'action l'annonce du mariage
de Rosine et de Bartholo pour le lendemain?
— La curiosité que suscite l'allusion à Bazile; Bartholo sera-t-il seul
contre le trio Almaviva-Rosine-Figaro?

23. Une complication imprévue : comment un nouveau personnage
est-il « mis en place » dans l'exposition? Le style du portrait chez Figaro :
comparez au portrait de Bartholo (page 62, lignes 43-45).

24. Importance de ce détail pour l'action : cet « incognito » se jus-
tifie-t-il quand on connaît les sentiments du Comte?

LE COMTE. — Que veux-tu que j'en fasse? J'en joue si mal!

FIGARO. — Est-ce qu'un homme comme vous ignore quelque chose[1]? Avec le dos de la main; from, from, from... Chanter sans guitare à Séville! vous seriez bientôt reconnu, ma foi,
30 bientôt dépisté. *(Figaro se colle au mur, sous le balcon.)*

LE COMTE *chante en se promenant, et s'accompagnant sur sa guitare.* —

PREMIER COUPLET

Vous l'ordonnez, je me ferai connaître,
Plus inconnu, j'osais vous adorer;
35 En me nommant, que pourrais-je espérer?
N'importe, il faut obéir à son maître.

FIGARO, *bas.* — Fort bien, parbleu! Courage, monseigneur!

LE COMTE. —

DEUXIÈME COUPLET

Je suis Lindor, ma naissance est commune;
40 Mes vœux sont ceux d'un simple bachelier[2];
Que n'ai-je, hélas! d'un brillant chevalier
A vous offrir le rang et la fortune!

FIGARO. — Et comment, diable! je ne ferais pas mieux, moi qui m'en pique.

45 LE COMTE. —

TROISIÈME COUPLET

Tous les matins, ici, d'une voix tendre,
Je chanterai mon amour sans espoir;
Je bornerai mes plaisirs à vous voir;
Et puissiez-vous en trouver à m'entendre!

50 FIGARO. — Oh! ma foi, pour celui-ci!... *(Il s'approche et baise le bas de l'habit de son maître.)*

LE COMTE. — Figaro?

FIGARO. — Excellence?

LE COMTE. — Crois-tu que l'on m'ait entendu?

---

1. Cette question rappelle la phrase de Mascarille (*les Précieuses ridicules*, IX) : « Les gens de qualité savent tout sans avoir jamais rien appris »; 2. *Bachelier* : au Moyen Age, jeune gentilhomme qui aspirait à devenir chevalier; par suite : jeune garçon.

55 ROSINE, *en dedans, chante.* —

(Air du *Maître en droit.*)

Tout me dit que Lindor est charmant,
Que je dois l'aimer constamment...

(On entend une croisée qui se ferme avec bruit.) **(25)**

FIGARO. — Croyez-vous qu'on vous ait entendu, cette fois?

LE COMTE. — Elle a fermé sa fenêtre; quelqu'un apparemment
60 est entré chez elle.

FIGARO. — Ah! la pauvre petite! comme elle tremble en
chantant! Elle est prise[1], monseigneur.

LE COMTE. — Elle se sert du moyen qu'elle-même a indiqué.
Tout me dit que Lindor est charmant. Que de grâces! que
65 d'esprit!

FIGARO. — Que de ruse! que d'amour!

LE COMTE. — Crois-tu qu'elle se donne à moi, Figaro?

FIGARO. — Elle passera plutôt à travers cette jalousie que
d'y manquer.

70 LE COMTE. — C'en est fait, je suis à ma Rosine... pour la vie.

FIGARO. — Vous oubliez, monseigneur, qu'elle ne vous
entend plus.

LE COMTE. — Monsieur Figaro! je n'ai qu'un mot à vous
dire : elle sera ma femme; et si vous servez bien mes projets
75 en lui cachant mon nom... Tu m'entends, tu me connais... **(26)**

FIGARO. — Je me rends. Allons, Figaro, vole à la fortune,
mon fils.

LE COMTE. — Retirons-nous, crainte de nous rendre suspects.

FIGARO, *vivement.* — Moi, j'entre ici, où, par la force de
80 mon art, je vais, d'un seul coup de baguette, endormir la vigi-

---

1. *Prise* : par l'amour que vous lui inspirez.

───────── **QUESTIONS** ─────────

25. Le style de ces couplets amoureux (reste de l'ancien opéra-comique)
est-il plus heureux que celui des couplets qu'inspire à Figaro la joie
de vivre (pages 51-52)? — Le rôle de Figaro pendant que chante Almaviva, ses prétentions d'auteur et de critique.

26. Importance de ce passage pour la moralité de la pièce (revoir la
scène IV et la deuxième partie de la question 21). Comment le jeu de
Figaro met-il en relief l'honnêteté du Comte? Comparez, de ce point
de vue, Almaviva à Horace de *l'École des femmes.*

lance, éveiller l'amour, égarer la jalousie, fourvoyer l'intrigue, et renverser tous les obstacles. Vous, monseigneur, chez moi l'habit de soldat, le billet de logement, et de l'or dans vos poches.

85   LE COMTE. — Pour qui, de l'or?

  FIGARO, *vivement*. — De l'or, mon dieu, de l'or : c'est le nerf de l'intrigue.

  LE COMTE. — Ne te fâche pas, Figaro, j'en prendrai beaucoup.

  FIGARO, *s'en allant*. — Je vous rejoins dans peu.

90   LE COMTE. — Figaro?

  FIGARO. — Qu'est-ce que c'est?

  LE COMTE. — Et ta guitare?

  FIGARO *revient*. — J'oublie ma guitare, moi! je suis donc fou! (*Il s'en va.*)

95   LE COMTE. — Et ta demeure, étourdi?

  FIGARO *revient*. — Ah! réellement, je suis frappé[1]! — Ma boutique à quatre pas d'ici, peinte en bleu, vitrage en plomb[2], trois palettes en l'air[3], l'œil dans la main[4], *Consilio manuque*, FIGARO. (*Il s'enfuit.*) **(27) (28) (29)**

---

 1. De distraction et d'amnésie; **2.** *Vitrage en plomb :* petits carreaux qui sont tenus entre eux par de fines bandes de plomb (technique ancienne qu'on retrouve dans les vitraux d'église et qui prouve que la maison de Figaro est une vieille maison); **3.** C'est l'enseigne du barbier-chirurgien, dont la *palette* (petit récipient pour recueillir le sang de la saignée) était un instrument essentiel; **4.** Encore un motif de l'enseigne, signifiant (comme la phrase latine qui suit) la clairvoyance et l'habileté de l'opérateur.

───── **QUESTIONS** ─────

 27. L'art de finir un acte : comment Beaumarchais assure-t-il son mouvement à cette dernière partie de la scène? Montrez que l'exaltation de Figaro fait écho à la joie du Comte : quels motifs déchaînent ainsi sa verve? Est-ce l'intérêt qui le pousse à agir?

 28. Sur l'ensemble de la scène vi. — Comment cette scène noue-t-elle l'action? Montrez que tous les éléments de l'intrigue son maintenant connus et que sont posés tous les éléments du problème. Quels atouts possède chacun des deux camps en présence?

 29. Sur l'ensemble du premier acte. — Composition de l'acte : démontrez qu'il est constitué d'une seule grande scène, au cours de laquelle l'exposition se développe progressivement, tandis que l'action se noue.

 — Les quatre personnages connus jusqu'ici : en quoi se rattachent-ils, par leur condition et par leur situation, à des personnages traditionnels de la comédie? Leur originalité propre.

ACTE II

Le théâtre représente l'appartement de Rosine. La croisée dans le fond du théâtre est fermée par une jalousie grillée.

Scène première. — ROSINE *seule, un bougeoir à la main. Elle prend du papier sur la table et se met à écrire.*

Marceline est malade; tous les gens sont occupés; et personne ne me voit écrire. Je ne sais si ces murs ont des yeux et des oreilles, ou si mon argus[1] a un génie malfaisant qui l'instruit à point nommé; mais je ne puis dire un mot ni faire
5 un pas, dont il ne devine sur-le-champ l'intention... Ah! Lindor! *(Elle cachette la lettre.)* Fermons toujours ma lettre, quoique j'ignore quand et comment je pourrai la lui faire tenir. Je l'ai vu à travers ma jalousie parler longtemps au barbier Figaro. C'est un bonhomme[2] qui m'a montré quel-
10 quefois de la pitié : si je pouvais l'entretenir un moment! **(1)**

Scène II. — ROSINE, FIGARO.

ROSINE, *surprise.* — Ah! monsieur Figaro, que je suis aise de vous voir!

FIGARO. — Votre santé, madame[3]?

ROSINE. — Pas trop bonne, monsieur Figaro. L'ennui me tue.

5 FIGARO. — Je le crois; il n'engraisse que les sots.

---

1. *Argus* : monstre de la mythologie antique, muni de cent yeux et chargé par Junon de surveiller la nymphe Io; par suite : surveillant à qui rien n'échappe; **2.** *Bonhomme* : non pas « vieil homme » (sens fréquent en français classique), mais plutôt « brave homme », terme condescendant d'une jeune fille noble à l'égard d'un homme du peuple. Toutefois, même avec cette nuance, le mot ne s'appliquerait pas à un jeune homme. D'autres expressions (voir par exemple acte III, scène v, lignes 13; 48-49) confirment que Figaro n'est plus de première jeunesse; **3.** *Madame* : sur cette appellation, voir page 60, note 1.

—— QUESTIONS ——

1. Sur la scène première. — Le lieu de l'action : montrez que Beaumarchais (que rien n'oblige d'ailleurs à respecter l'unité de lieu) lie le décor du deuxième acte à celui du premier. La place de la jalousie dans l'un et l'autre. Faites une comparaison avec les lieux de l'action dans *l'École des femmes.*
— L'emploi du monologue par Beaumarchais comme moyen dramatique; comparez avec la scène v du premier acte.
— Les sentiments de Rosine à l'égard de Figaro.

ROSINE. — Avec qui parliez-vous donc là-bas si vivement?
Je n'entendais pas : mais...

FIGARO. — Avec un jeune bachelier[1] de mes parents, de la
plus grande espérance; plein d'esprit, de sentiments, de talents,
10 et d'une figure fort revenante[2].

ROSINE. — Oh! tout à fait bien, je vous assure! Il se nomme?...

FIGARO. — Lindor. Il n'a rien : mais s'il n'eût pas quitté
brusquement Madrid, il pouvait y trouver quelque bonne place.

ROSINE, *étourdiment.* — Il en trouvera, monsieur Figaro;
15 il en trouvera. Un jeune homme tel que vous le dépeignez
n'est pas fait pour rester inconnu.

FIGARO, *à part.* — Fort bien. *(Haut.)* Mais il a un grand
défaut, qui nuira toujours à son avancement.

ROSINE. — Un défaut, monsieur Figaro! Un défaut! en
20 êtes-vous sûr?

FIGARO. — Il est amoureux.

ROSINE. — Il est amoureux! et vous appelez cela un défaut?

FIGARO. — A la vérité, ce n'en est un que relativement à
sa mauvaise fortune.

25 ROSINE. — Ah! que le sort est injuste! Et nomme-t-il la personne qu'il aime? Je suis d'une curiosité...

FIGARO. — Vous êtes la dernière, madame, à qui je voudrais
faire une confidence de cette nature.

ROSINE, *vivement.* — Pourquoi, monsieur Figaro? Je suis
30 discrète. Ce jeune homme vous appartient, il m'intéresse
infiniment,... dites donc. (2)

FIGARO, *la regardant finement.* — Figurez-vous la plus jolie
petite mignonne, douce, tendre, accorte[3] et fraîche, agaçant
l'appétit; pied furtif, taille adroite, élancée, bras dodus, bouche

---

1. *Bachelier :* voir page 67, note 2; 2. *Revenante :* qui revient, convient, plaît;
3. *Accorte :* de l'italien *accorto,* avisé; par suite : qui a quelque chose d'engageant.

— QUESTIONS —

2. Le comique de situation : quel intérêt le spectateur prend-il à cette
scène dont il sait à l'avance l'issue? — La ruse de Rosine : comment
essaie-t-elle de donner un air « naturel » à sa curiosité? Qui croit mener
le jeu? Qui le mène en réalité? Comment Figaro guide-t-il les sentiments de Rosine?

35 rosée, et des mains! des joues! des dents! des yeux!... **(3)**

ROSINE. — Qui reste en cette ville?

FIGARO. — En ce quartier.

ROSINE. — Dans cette rue peut-être?

FIGARO. — A deux pas de moi.

40 ROSINE. — Ah! que c'est charmant... pour monsieur votre parent. Et cette personne est...?

FIGARO. — Je ne l'ai pas nommée?

ROSINE, *vivement*. — C'est la seule chose que vous ayez oubliée, monsieur Figaro. Dites donc, dites donc vite; si l'on 45 rentrait, je ne pourrais plus savoir...

FIGARO. — Vous le voulez absolument, madame? Eh bien! cette personne est... la pupille de votre tuteur.

ROSINE. — La pupille...?

FIGARO. — Du docteur Bartholo; oui, madame. **(4)**

50 ROSINE, *avec émotion*. — Ah! monsieur Figaro!... Je ne vous crois pas, je vous assure.

FIGARO. — Et c'est ce qu'il brûle de venir vous persuader lui-même.

ROSINE. — Vous me faites trembler, monsieur Figaro.

55 FIGARO. — Fi donc, trembler! mauvais calcul, madame. Quand on cède à la peur du mal, on ressent déjà le mal de la peur. D'ailleurs, je viens de vous débarrasser de tous vos surveillants jusqu'à demain.

ROSINE. — S'il m'aime, il doit me le prouver en restant 60 absolument tranquille.

FIGARO. — Eh! madame! amour et repos peuvent-ils habiter en même cœur? La pauvre jeunesse est si malheureuse aujourd'hui, qu'elle n'a que ce terrible choix : amour sans repos, ou repos sans amour.

━━━ QUESTIONS ━━━

3. Comparez ce portrait de Rosine à celui de Bartholo (page 62, lignes 43-45); montrez que le même effet de style aboutit à deux impressions opposées.

4. Rosine n'avait-elle pas compris dès le début? Quel plaisir trouve Figaro à poursuivre le jeu de la devinette?

65 ROSINE, *baissant les yeux.* — Repos sans amour... paraît...

FIGARO. — Ah! bien languissant. Il semble, en effet, qu'amour sans repos se présente de meilleure grâce : et pour moi, si j'étais femme... *rêveur*

ROSINE, *avec embarras.* — Il est certain qu'une jeune per-
70 sonne ne peut empêcher un honnête homme de l'estimer.

FIGARO. — Aussi mon parent vous estime-t-il infiniment.

ROSINE. — Mais s'il allait faire quelque imprudence, monsieur Figaro, il nous perdrait.

FIGARO, *à part.* — Il nous perdrait! *(Haut.)* Si vous le lui
75 défendiez expressément par une petite lettre... Une lettre a bien du pouvoir.

ROSINE *lui donne la lettre qu'elle vient d'écrire.* — Je n'ai pas le temps de recommencer celle-ci; mais en la lui donnant, dites-lui... dites-lui bien... *(Elle écoute.)*

80 FIGARO. — Personne, madame.

ROSINE. — Que c'est par pure amitié tout ce que je fais.

FIGARO. — Cela parle de soi. Tudieu! l'amour a bien une autre allure!

ROSINE. — Que par pure amitié, entendez-vous? Je crains
85 seulement que, rebuté par les difficultés...

FIGARO. — Oui, quelque feu follet. Souvenez-vous, madame, que le vent qui éteint une lumière allume un brasier, et que nous sommes ce brasier-là. D'en parler seulement, il exhale un tel feu qu'il m'a presque enfiévré[1] de sa passion, moi qui
90 n'y ai que voir! **(5)**

ROSINE. — Dieux! j'entends mon tuteur. S'il vous trouvait ici... Passez par le cabinet du clavecin, et descendez le plus doucement que vous pourrez.

---

1. Le mot *enfiévré*, qui n'est plus français, a excité la plus vive indignation parmi les puritains littéraires; « Je ne conseille à aucun galant homme de s'en servir; mais Monsieur Figaro!... » (Note de Beaumarchais.)

──────── QUESTIONS ────────

5. La « surprise de l'amour » chez Rosine : comment se mêlent en elle la peur et l'espérance? A quels sentiments conformes à la bien-séance prétend-elle limiter ses rapports avec Lindor? — Le rôle de Figaro « entremetteur » : ses maximes de vie, sa définition de l'amour, ses conseils d'action pratique. Joue-t-il vraiment le rôle de corrupteur? Rosine n'est-elle pas prête à entendre ses leçons?

FIGARO. — Soyez tranquille. *(A part, montrant la lettre.)*
95 Voici qui vaut mieux que toutes mes observations. *(Il entre
dans le cabinet.)* **(6) (7)**

SCÈNE III. — ROSINE, *seule.*

Je meurs d'inquiétude jusqu'à ce qu'il soit dehors... Que
je l'aime, ce bon Figaro! c'est un bien honnête homme, un
bon parent! Ah! voilà mon tyran; reprenons mon ouvrage.
*(Elle souffle la bougie, s'assied, et prend une broderie au tam-
5 bour.)* **(8)**

SCÈNE IV. — BARTHOLO, ROSINE.

BARTHOLO, *en colère.* — Ah! malédiction! l'enragé, le scélérat corsaire de Figaro! Là, peut-on sortir un moment de chez
soi sans être sûr en rentrant...?

ROSINE. — Qui vous met donc si fort en colère, monsieur?

5 BARTHOLO. — Ce damné barbier qui vient d'écloper toute
ma maison en un tour de main : il donne un narcotique à
L'Éveillé, un sternutatoire[1] à La Jeunesse; il saigne au pied
Marceline; il n'y a pas jusqu'à ma mule[2]... Sur les yeux d'une
pauvre bête aveugle, un cataplasme! Parce qu'il me doit
10 cent écus[3], il se presse de faire des mémoires[4]. Ah! qu'il les

---

1. *Sternutatoire :* qui fait éternuer; 2. Monture habituellement utilisée par les
médecins pour leurs déplacements; 3. *Écu :* monnaie d'argent valant 3 livres;
4. *Mémoire :* état des sommes dues; ainsi sera neutralisée sa dette.

─────────── **QUESTIONS** ───────────

6. La réaction de Rosine devant le danger : est-elle aussi ingénue
qu'elle le laissait croire?

7. SUR L'ENSEMBLE DE LA SCÈNE II. — La composition de la scène :
le développement d'une situation comique. Est-ce au point de vue de
l'action que cette scène est surtout utile? Le sentiment du spectateur
pendant toute la scène.
— En quoi cette scène rappelle-t-elle certains moments du théâtre de
Marivaux? Rosine peut-elle être comparée aux jeunes amoureuses de
Marivaux? En quoi leur ressemble-t-elle? En quoi en diffère-t-elle?

8. SUR LA SCÈNE III. — Appréciez ce nouvel emploi d'un monologue;
était-il indispensable sur le plan dramatique entre la scène II et la
scène IV?
— Comparez le jugement de Rosine sur Figaro avec ce qu'elle disait
de lui à la scène première.

apporte!... Et personne à l'antichambre! on arrive à cet appartement comme à la place d'armes¹. **(9)**

ROSINE. — Et qui peut y pénétrer que vous, monsieur?

15 BARTHOLO. — J'aime mieux craindre sans sujet que de m'exposer sans précaution. Tout est plein de gens entreprenants, d'audacieux... N'a-t-on pas, ce matin encore, ramassé lestement votre chanson pendant que j'allais la chercher? Oh! je...

ROSINE. — C'est bien mettre à plaisir de l'importance à tout! Le vent peut avoir éloigné ce papier, le premier venu;
20 que sais-je?

BARTHOLO. — Le vent, le premier venu! Il n'y a point de vent, madame, point de premier venu dans le monde; et c'est toujours quelqu'un posté là exprès qui ramasse les papiers qu'une femme a l'air de laisser tomber par mégarde.

25 ROSINE. — A l'air, monsieur?

BARTHOLO. — Oui, madame, a l'air. **(10)**

ROSINE, *à part*. — Oh! le méchant vieillard!

BARTHOLO. — Mais tout cela n'arrivera plus; car je vais faire sceller cette grille.

30 ROSINE. — Faites mieux; murez les fenêtres tout d'un coup! d'une prison à un cachot, la différence est si peu de chose!

BARTHOLO. — Pour celles qui donnent sur la rue, ce ne serait peut-être pas si mal... Ce barbier n'est pas entré chez vous, au moins?

35 ROSINE. — Vous donne-t-il aussi de l'inquiétude?

BARTHOLO. — Tout comme un autre.

ROSINE. — Que vos répliques sont honnêtes²!

---

1. *Place d'armes :* dans une citadelle, emplacement découvert utilisé pour les revues et les défilés; 2. *Honnête :* courtoise.

———— **QUESTIONS** ————

9. Le progrès de l'action : était-on prévenu de cette manœuvre de Figaro (voir acte premier, scène IV, lignes 81-91, et acte II, scène II, lignes 57-58)? Bartholo devine-t-il le véritable motif qui a déterminé Figaro à prodiguer tant de soins?

10. L'attitude de Rosine depuis le début de la scène : joue-t-elle bien la comédie de l'innocence? Quelle attitude espère-t-elle provoquer chez Bartholo par sa dernière réplique : *A l'air, Monsieur?* Y réussit-elle?

BARTHOLO. — Ah! fiez-vous à tout le monde, et vous aurez bientôt à la maison une bonne femme pour vous tromper,
40 de bons amis pour vous la souffler, et de bons valets pour les y aider.

ROSINE. — Quoi! vous n'accordez pas même qu'on ait des principes contre la séduction de M. Figaro?

BARTHOLO. — Qui diable entend quelque chose à la bizarre-
45 rie des femmes, et combien j'en ai vu de ces vertus à principes...! **(11)**

ROSINE, *en colère*. — Mais, monsieur, s'il suffit d'être homme pour nous plaire, pourquoi donc me déplaisez-vous si fort?

BARTHOLO, *stupéfait*. — Pourquoi?... pourquoi?... Vous ne
50 répondez pas à ma question sur ce barbier.

ROSINE, *outrée*. — Eh bien oui, cet homme est entré chez moi; je l'ai vu, je lui ai parlé. Je ne vous cache même pas que je l'ai trouvé fort aimable : et puissiez-vous en mourir de dépit! **(12) (13)**

(*Elle sort.*)

SCÈNE V. — BARTHOLO, *seul*.

Oh! les juifs[1], les chiens de valets! La Jeunesse! L'Éveillé! L'Éveillé maudit!

---

1. Le mot appartient encore à cette époque au vocabulaire traditionnel des injures; sans doute Bartholo croit-il ses valets achetés par Figaro.

———— QUESTIONS ————

11. La seconde attitude de Rosine : peut-elle espérer faire céder Bartholo en usant de la provocation et de l'ironie?

12. Comment évolue l'attitude de Rosine dans les dernières répliques?
Pouvait-on prévoir, dès la scène III de l'acte premier, qu'elle est capable de révolte?

13. SUR L'ENSEMBLE DE LA SCÈNE IV. — Le personnage de Bartholo.
Comparez-le aux barbons traditionnels de la farce; quels défauts
a-t-il en commun avec eux? Quel avantage a-t-il sur eux? — Comparez-le
également à l'Arnolphe de *l'École des femmes;* par quels moyens différents Beaumarchais met-il son personnage dans la même situation que celui de Molière?

— Le caractère de Rosine : croyez-vous qu'avant d'être amoureuse de Lindor elle ait si hardiment tenu tête à Bartholo? Comment se complète son caractère?

— Le comique de situation : qui ment, qui dit la vérité dans cette scène? Pourquoi a-t-on cependant toute indulgence pour Rosine? Est-ce Rosine ou son tuteur qui prend finalement l'avantage?

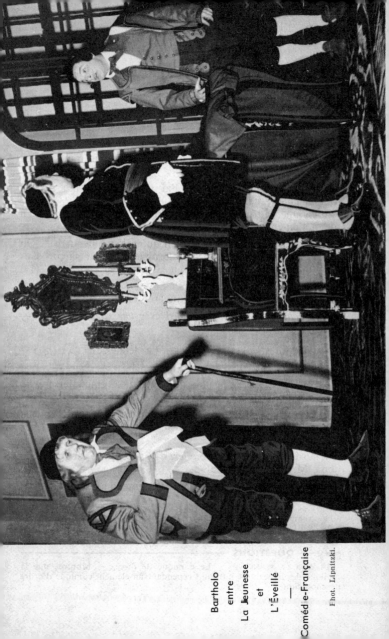

Bartholo entre
La Jeunesse
et
L'Éveillé

— Coméd e-Française

Phot. Lipnitzki.

Scène VI. — BARTHOLO, L'ÉVEILLÉ.

L'ÉVEILLÉ *arrive en bâillant, tout endormi.* — Aah, aah, ah, ah...

BARTHOLO. — Où étais-tu, peste d'étourdi, quand ce barbier est entré ici?

L'ÉVEILLÉ. — Monsieur j'étais... ah, aah, ah...

5   BARTHOLO. — A machiner quelque espièglerie, sans doute? Et tu ne l'as pas vu?

L'ÉVEILLÉ. — Sûrement je l'ai vu, puisqu'il m'a trouvé tout malade, à ce qu'il dit; et faut bien que ça soit vrai, car j'ai commencé à me douloir[1] dans tous les membres, rien
10   qu'en l'en-entendant par... Ah, ah, aah...

BARTHOLO *le contrefait.* — Rien qu'en l'en-entendant!... Où est ce vaurien de La Jeunesse? Droguer ce petit garçon sans mon ordonnance! Il y a quelque friponnerie là-dessous. **(14)**

Scène VII. — LES ACTEURS PRÉCÉDENTS, LA JEUNESSE.

(La Jeunesse arrive en vieillard avec une canne en béquille;
il éternue plusieurs fois.)

L'ÉVEILLÉ, *toujours bâillant.* — La Jeunesse?

BARTHOLO. — Tu éternueras dimanche.

LA JEUNESSE. — Voilà plus de cinquante... cinquante fois[2]... dans un moment! *(Il éternue.)* Je suis brisé.

5   BARTHOLO. — Comment! je vous demande à tous les deux s'il est entré quelqu'un chez Rosine, et vous ne me dites pas que ce barbier...

L'ÉVEILLÉ, *continuant de bâiller.* — Est-ce que c'est quelqu'un donc, M. Figaro? Aah, ah...

10   BARTHOLO. — Je parie que le rusé s'entend avec lui.

---

1. *Se douloir* : souffrir; le mot est un archaïsme, comme il s'en trouve souvent dans le vocabulaire des gens d'origine paysanne; 2. Certains acteurs, Dugazon entre autres, ont outré ici le jeu de scène. Pour être amusante, la scène ne doit pas être chargée.

───── **QUESTIONS** ─────

14. SUR LA SCÈNE VI. — Le comique de farce. — Montrez que la réplique des lignes 9-11 introduit cependant un élément comique d'ordre psychologique.

L'ÉVEILLÉ, *pleurant comme un sot.* — Moi... Je m'entends!...

LA JEUNESSE, *éternuant.* — Eh mais, monsieur, y a-t-il... y a-t-il de la justice?...

BARTHOLO. — De la justice! C'est bon entre vous autres
15 misérables, la justice! Je suis votre maître, moi, pour avoir toujours raison.

LA JEUNESSE, *éternuant.* — Mais, pardi, quand une chose est vraie...

BARTHOLO. — Quand une chose est vraie! Si je ne veux pas
20 qu'elle soit vraie, je prétends bien qu'elle ne soit pas vraie. Il n'y aurait qu'à permettre à tous ces faquins-là d'avoir raison, vous verriez bientôt ce que deviendrait l'autorité.

LA JEUNESSE, *éternuant.* — J'aime autant recevoir mon congé. Un service terrible, et toujours un train d'enfer!

25 L'ÉVEILLÉ, *pleurant.* — Un pauvre homme de bien est traité comme un misérable.

BARTHOLO. — Sors donc, pauvre homme de bien! *(Il les contrefait.)* Et t'chi et t'cha; l'un m'éternue au nez, l'autre m'y bâille.

30 LA JEUNESSE. — Ah, monsieur, je vous jure que, sans mademoiselle, il n'y aurait... il n'y aurait pas moyen de rester dans la maison[1]. *(Il sort en éternuant.)*

BARTHOLO. — Dans quel état ce Figaro les a mis tous! Je vois ce que c'est : le maraud voudrait me payer mes cent écus
35 sans bourse délier... **(15)**

---

1. L'auteur, en abrégeant sa pièce, a supprimé ici une réplique de Rosine qui assistait à la scène : « Je vous plains bien, mes pauvres enfants. Mais vous n'êtes pas encore si malheureux que moi. »

——————— **QUESTIONS** ———————

15. SUR LA SCÈNE VII. — Le nouvel effet comique de farce, s'ajoutant au premier, constitue-t-il l'intérêt principal de cette scène? Beaumarchais reprochait à l'acteur Dugazon (lettre du 30 septembre 1776) de multiplier exagérément le nombre et l'intensité de ses éternuements, au point qu'on n'entendait plus Bartholo : pourquoi ce reproche?
— Étudiez le rôle de Bartholo : comment Beaumarchais se sert-il du personnage pour introduire la critique sociale dans sa pièce? Les allusions aux démêlés personnels de Beaumarchais avec la justice intéressent-elles le spectateur d'aujourd'hui? Qu'est-ce qui leur laisse une valeur encore actuelle?
— Quelle explication Bartholo s'obstine-t-il à donner aux agissements de Figaro? Pourquoi son habituelle clairvoyance est-elle ici en défaut?

Scène VIII. — BARTHOLO, DON BAZILE, FIGARO, *caché dans le cabinet, paraît de temps en temps, et les écoute.*

BARTHOLO *continue*. — Ah! don Bazile, vous veniez donner à Rosine sa leçon de musique?

BAZILE. — C'est ce qui presse le moins.

BARTHOLO. — J'ai passé chez vous sans vous trouver.

5 BAZILE. — J'étais sorti pour vos affaires. Apprenez une nouvelle assez fâcheuse.

BARTHOLO. — Pour vous?

BAZILE. — Non, pour vous. Le comte Almaviva est en cette ville.

10 BARTHOLO. — Parlez bas. Celui qui faisait chercher Rosine dans tout Madrid?

BAZILE. — Il loge à la grande place, et sort tous les jours déguisé.

BARTHOLO. — Il n'en faut point douter, cela me regarde. 15 Et que faire? **(16)**

BAZILE. — Si c'était un particulier, on viendrait à bout de l'écarter.

BARTHOLO. — Oui, en s'embusquant le soir, armé, cuirassé... **(17)**

20 BAZILE. — *Bone Deus!* se compromettre! Susciter une méchante affaire, à la bonne heure; et pendant la fermentation, calomnier à dire d'experts[1]; *concedo*[2].

BARTHOLO. — Singulier moyen de se défaire d'un homme!

BAZILE. — La calomnie, monsieur! Vous ne savez guère

---

1. *A dire d'experts :* en s'en rapportant à la décision des experts; d'où, ici : calomnier de manière à donner créance et notoriété à la calomnie; 2. *Concedo :* « Je l'accorde »; terme latin de scolastique.

─────── **QUESTIONS** ───────

16. La visite de Bazile est-elle attendue (voir acte premier, scène v)? — L'effet comique produit par la seule vue du personnage : son costume, son attitude, son visage. L'importance de la nouvelle apportée par Bazile : comment la position de Bartholo se trouve-t-elle désormais renforcée?
17. Le trait de caractère que révèle cette réaction très spontanée de Bartholo.

25 ce que vous dédaignez; j'ai vu les plus honnêtes gens près
d'en être accablés. Croyez qu'il n'y a pas de plate méchanceté, pas d'horreurs, pas de conte absurde, qu'on ne fasse
adopter aux oisifs d'une grande ville en s'y prenant bien :
et nous avons ici des gens d'une adresse!... D'abord un léger
30 bruit, rasant le sol comme hirondelle avant l'orage, *pianissimo*[1]
murmure et file, et sème en courant le trait empoisonné. Telle
bouche le recueille, et *piano, piano*, vous le glisse en l'oreille
adroitement. Le mal est fait; il germe, il rampe, il chemine,
et *rinforzando* de bouche en bouche il va le diable[2]; puis tout
35 à coup, ne sais comment, vous voyez calomnie se dresser,
siffler, s'enfler, grandir à vue d'œil. Elle s'élance, étend son
vol, tourbillonne, enveloppe, arrache, entraîne, éclate et tonne,
et devient, grâce au ciel, un cri général, un *crescendo* public,
un *chorus*[3] universel de haine et de proscription[4]. Qui diable
40 y résisterait[5]? **(18)**

BARTHOLO. — Mais quel radotage me faites-vous donc là,
Bazile? Et quel rapport ce *piano-crescendo* peut-il avoir à ma
situation[6]?

BAZILE. — Comment, quel rapport? Ce qu'on fait partout
45 pour écarter son ennemi, il faut le faire ici pour empêcher le
vôtre d'approcher.

BARTHOLO. — D'approcher? Je prétends bien épouser Rosine
avant qu'elle apprenne seulement que ce comte existe.

BAZILE. — En ce cas, vous n'avez pas un instant à perdre.

---

1. Ce terme musical et les suivants ne sont pas déplacés dans la bouche du professeur de chant et s'adaptent parfaitement au sujet; de plus, ils guident le débit de
l'acteur et préparent la tâche de Paisiello et de Rossini, qui, ultérieurement, referont
de la comédie un opéra-comique; 2. *Il va le diable :* il poursuit son œuvre infernale
(à un train d'enfer); 3. *Chorus :* reprise en chœur, à l'unisson, d'un chant, d'un
refrain; 4. *Proscription :* décret de mort sans formes judiciaires, par simple inscrip-
tion sur une affiche publique; 5. Ce couplet a été ajouté au texte primitif après l'affaire Goëzman; 6. L'auteur plaisante lui-même l'utilité discutable de cette tirade,
qui est, malgré tout, un hors-d'œuvre.

=== QUESTIONS ===

18. Analysez cette tirade : sa composition, son mouvement. — Les
images : montrez qu'elles font ici un effet burlesque. Relevez les termes
de jargon scolastique, les archaïsmes, les termes de technique musi-
cale : en quoi rattachent-ils ce caractère à la personnalité de Bazile?
— Pourquoi cette tirade semble-t-elle toute faite pour être mise en musique,
comme le fera Rossini dans le fameux « air de la calomnie » de son
opéra-comique?

50   BARTHOLO. — Et à qui tient-il, Bazile? Je vous ai chargé de tous les détails de cette affaire.

BAZILE. — Oui, mais vous avez lésiné sur les frais; et dans l'harmonie du bon ordre, un mariage inégal[1], un jugement inique[2], un passe-droit[3] évident, sont des dissonances qu'on
55   doit toujours préparer et sauver par l'accord parfait de l'or.

BARTHOLO, *lui donnant de l'argent.* — Il faut en passer par où vous voulez; mais finissons. (19)

BAZILE. — Cela s'appelle parler. Demain, tout sera terminé : c'est à vous d'empêcher que personne, aujourd'hui, ne puisse
60   instruire la pupille.

BARTHOLO. — Fiez-vous-en à moi. Viendrez-vous ce soir, Bazile?

BAZILE. — N'y comptez pas. Votre mariage seul m'occupera toute la journée; n'y comptez pas.

65   BARTHOLO *l'accompagne.* — Serviteur.

BAZILE. — Restez, docteur, restez donc.

BARTHOLO. — Non pas. Je veux fermer sur vous la porte de la rue. (20) (21)

SCÈNE IX. — FIGARO, *seul, sortant du cabinet.*

Oh! la bonne précaution! Ferme, ferme la porte de la rue;

---

1. *Inégal :* par l'âge et aussi par la condition des conjoints (Rosine est d'origine noble); 2. *Un jugement inique :* addition au texte primitif, à la suite du procès Goëzman; appliquée à Bartholo et Rosine, l'expression peut faire allusion à quelque décision de justice qui a permis au tuteur de prendre sur la personne et les biens de sa pupille des droits illégitimes; 3. *Passe-droit :* faveur faite à une personne au détriment d'une autre plus qualifiée.

─────■ QUESTIONS ■─────

19. Le « morceau de bravoure » sur la calomnie produit-il grand effet sur Bartholo? — Oriente-t-il l'action dans une direction nouvelle? Quel est le résultat pratique de la révélation apportée par Bazile?

20. Importance des dernières répliques pour la suite de l'action : quel est le plan Bazile-Bartholo? — La minutie avec laquelle doivent être fixés les moindres détails matériels pour combiner le mécanisme de l'action : quel genre de comique en résulte?

21. SUR L'ENSEMBLE DE LA SCÈNE VIII. — Le personnage de Bazile : en quoi ressemble-t-il à Tartuffe? En quoi en diffère-t-il? Dans quelle mesure Beaumarchais y a-t-il mêlé le comique et l'odieux? Son langage.

— Le progrès de l'action dans cette scène : l'avantage qu'avait pris Almaviva en profitant de l'aide de Figaro n'est-il pas ruiné par la démarche de Bazile? Pourquoi Beaumarchais a-t-il pris soin de laisser Figaro apparaître de temps en temps?

et moi je vais la rouvrir au comte en sortant. C'est un grand maraud que ce Bazile! heureusement il est encore plus sot. Il faut un état, une famille, un nom, un rang, de la consistance enfin, pour faire sensation dans le monde en calomniant. Mais un Bazile! il médirait[1], qu'on ne le croirait pas. **(22)**

Scène X. — ROSINE, *accourant;* FIGARO.

ROSINE. — Quoi! vous êtes encore là, monsieur Figaro?

FIGARO. — Très heureusement pour vous, mademoiselle. Votre tuteur et votre maître à chanter, se croyant seuls ici, viennent de parler à cœur ouvert...

ROSINE. — Et vous les avez écoutés, monsieur Figaro? Mais savez-vous que c'est fort mal!

FIGARO. — D'écouter? C'est pourtant ce qu'il y a de mieux pour bien entendre. Apprenez que votre tuteur se dispose à vous épouser demain.

ROSINE. — Ah! grands dieux!

FIGARO. — Ne craignez rien; nous lui donnerons tant d'ouvrage, qu'il n'aura pas le temps de songer à celui-là.

ROSINE. — Le voici qui revient; sortez donc par le petit escalier. Vous me faites mourir de frayeur. **(23)**
(Figaro s'enfuit.)

Scène XI. — BARTHOLO, ROSINE.

ROSINE. — Vous étiez ici avec quelqu'un, monsieur?

BARTHOLO. — Don Bazile que j'ai reconduit, et pour cause. Vous eussiez mieux aimé que c'eût été M. Figaro?

---

1. La médisance diffère de la calomnie en ce que l'accusation qu'on porte est justifiée dans la première, mensongère dans la seconde.

─────── **QUESTIONS** ───────

22. Comparez ce court monologue à ceux de l'acte premier, scène v, et de l'acte II, scène première. Habileté de ces transitions : comment Beaumarchais leur donne-t-il du poids et de la vraisemblance?

23. Sur la scène x. — Importance de cette scène pour les projets de Figaro et du Comte : l'état d'esprit de Rosine peut-il être le même qu'à la fin de la scène II? Sous quel double aspect apparaît encore ici le caractère de la jeune fille?

ROSINE. — Cela m'est fort égal, je vous assure.

5 BARTHOLO. — Je voudrais bien savoir ce que ce barbier avait de si pressé à vous dire?

ROSINE. — Faut-il parler sérieusement? Il m'a rendu compte de l'état de Marceline, qui même n'est pas trop bien, à ce qu'il dit.

10 BARTHOLO. — Vous rendre compte! Je vais parier qu'il était chargé de vous remettre quelque lettre.

ROSINE. — Et de qui, s'il vous plaît?

BARTHOLO. — Oh! de qui! De quelqu'un que les femmes ne nomment jamais. Que sais-je, moi? Peut-être la réponse 15 au papier de la fenêtre.

ROSINE, *à part.* — Il n'en a pas manqué une seule. *(Haut.)* Vous mériteriez bien que cela fût. **(24)**

BARTHOLO *regarde les mains de Rosine.* — Cela est. Vous avez écrit.

20 ROSINE, *avec embarras.* — Il serait assez plaisant que vous eussiez le projet de m'en faire convenir.

BARTHOLO, *lui prenant la main droite.* — Moi! point du tout; mais votre doigt encore taché d'encre! Hein? rusée signora[1]!

ROSINE, *à part.* — Maudit homme!

25 BARTHOLO, *lui tenant toujours la main.* — Une femme se croit bien en sûreté, parce qu'elle est seule.

ROSINE. — Ah! sans doute... La belle preuve!... Finissez donc monsieur, vous me tordez le bras. Je me suis brûlée en chiffonnant[2] autour de cette bougie; et l'on m'a toujours dit 30 qu'il fallait aussitôt tremper dans l'encre : c'est ce que j'ai fait.

BARTHOLO. — C'est ce que vous avez fait? Voyons donc si un second témoin confirmera la déposition du premier.

---

1. *Signora* : voir page 60, note 1; 2. *Chiffonner* : s'occuper à des travaux de lingerie; expression des femmes du monde, qui feignent d'accorder peu d'importance aux « chiffons » de leurs petits ouvrages.

──────── **QUESTIONS** ────────

24. Comparez le début de cette scène à celui de la scène IV du même acte : des faits nouveaux se sont-ils produits pour déterminer Bartholo à reprendre son enquête sur l'incident du matin (la romance tombée par la fenêtre)? — Quel progrès sa méfiance a-t-elle accompli?

C'est ce cahier de papier où je suis certain qu'il y avait six
feuilles; car je les compte tous les matins, aujourd'hui encore.

35 ROSINE, *à part.* — Oh! imbécile!...

BARTHOLO, *comptant.* — Trois, quatre, cinq...

ROSINE. — La sixième...

BARTHOLO. — Je vois bien qu'elle n'y est pas, la sixième.

ROSINE, *baissant les yeux.* — La sixième? Je l'ai employée
40 à faire un cornet pour des bonbons que j'ai envoyés à la petite
Figaro[1].

BARTHOLO. — A la petite Figaro? Et la plume qui était toute
neuve, comment est-elle devenue noire? Est-ce en écrivant
l'adresse de la petite Figaro?

45 ROSINE. — *(A part.)* Cet homme a un instinct de jalousie!...
(Haut.) Elle m'a servi à retracer une fleur effacée sur la veste
que je vous brode au tambour[2]. **(25)**

BARTHOLO. — Que cela est édifiant! Pour qu'on vous crût,
mon enfant, il faudrait ne pas rougir en déguisant coup sur
50 coup la vérité; mais c'est ce que vous ne savez pas encore.

ROSINE. — Eh! qui ne rougirait pas, monsieur, de voir tirer
des conséquences aussi malignes des choses le plus innocemment faites?

BARTHOLO. — Certes, j'ai tort. Se brûler le doigt, le tremper
55 dans l'encre, faire des cornets aux bonbons pour la petite
Figaro, et dessiner ma veste au tambour! quoi de plus innocent? Mais que de mensonges entassés pour cacher un seul
fait!... *Je suis seule, on ne me voit point; je pourrai mentir à
mon aise.* Mais le bout du doigt reste noir, la plume est
60 tachée, le papier manque! On ne saurait penser à tout. Bien

---

1. La fille de Figaro, dont il n'a d'ailleurs pas été question; non plus que du ménage
du barbier. Dans *le Mariage de Figaro*, il ne sera fait aucune allusion à cette première
union; 2. *Tambour :* cercle de bois sur lequel on tend le tissu à broder.

──────── **QUESTIONS** ────────

25. La méthode policière de Bartholo : faut-il incriminer seulement son
« instinct de jalousie »? Quelle aventure survenue à l'Arnolphe de Molière
l'a déterminé à surveiller la correspondance de Rosine? — Les alibis de
Rosine : se défend-elle bien? Que penser de ses aptitudes au mensonge?
En a-t-on déjà eu des preuves?

certainement, signora, quand j'irai par la ville, un bon double tour me répondra de vous. **(26) (27)**

Scène XII. — LE COMTE, BARTHOLO, ROSINE.

LE COMTE, *en uniforme de cavalier, ayant l'air d'être entre deux vins, et chantant : « Réveillons-la, etc. »*

BARTHOLO. — Mais que nous veut cet homme? Un soldat! Rentrez chez vous, signora.

5   LE COMTE *chante* « Réveillons-la », *et s'avance vers Rosine.* — Qui de vous deux, mesdames, se nomme le docteur Balordo? *(A Rosine, bas.)* Je suis Lindor.

BARTHOLO. — Bartholo!

ROSINE, *à part.* — Il parle de Lindor.

10   LE COMTE. — Balordo, Barque à l'eau[1]; je m'en moque comme de ça. Il s'agit seulement de savoir laquelle des deux... *(A Rosine, lui montrant un papier.)* Prenez cette lettre.

BARTHOLO. — Laquelle! Vous voyez bien que c'est moi! Laquelle! Rentrez donc, Rosine; cet homme paraît avoir du 15   vin.

---

1. Dans la première version de la pièce, il l'appelait aussi « porc-à-l'auge », « pot-à-l'eau », etc.

──── **QUESTIONS** ────

26. Comment Beaumarchais s'arrange-t-il pour que le spectateur excuse les mensonges de son héroïne? — Le comique de situation : de quel côté semblent être le bon droit et la morale? Le sont-ils réellement?

27. SUR L'ENSEMBLE DE LA SCÈNE XI. — Importance de cette scène dans le développement de l'action; les progrès accomplis par Bartholo depuis la scène IV du même acte. Comment cette scène fait-elle perdre à Rosine une partie de l'avantage qu'elle avait pris sur son tuteur, grâce à la présence cachée de Figaro?

— Faites une nouvelle comparaison entre Bartholo et Arnolphe : pourquoi, après cette scène, le jaloux de Beaumarchais est-il plus antipathique encore que le personnage de Molière?

— Faut-il reprocher à Rosine ses mensonges? Dans quelle mesure Bartholo est-il responsable de l'attitude de Rosine? Faites, de ce point de vue, un rapprochement avec l'Agnès de Molière.

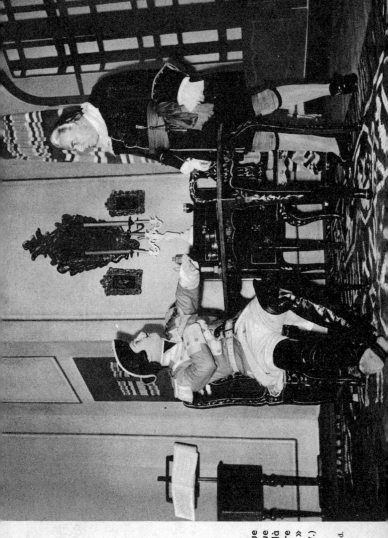

« Qu'est-ce que c'est donc, que vous cachez là dans votre poche ? »

(Page 87.)

Phot. Bernand.

SÉVILLE AU
XVIIIᵉ SIÈCLE

Phot. Larousse.

ROSINE. — C'est pour cela, monsieur; vous êtes seul. Une femme en impose quelquefois.

BARTHOLO. — Rentrez, rentrez; je ne suis pas timide. **(28)**

Scène XIII. — LE COMTE, BARTHOLO.

LE COMTE. — Oh! je vous ai reconnu d'abord à votre signalement.

BARTHOLO, *au Comte, qui serre la lettre.* — Qu'est-ce que c'est donc, que vous cachez là dans votre poche?

5 LE COMTE. — Je le cache dans ma poche, pour que vous ne sachiez pas ce que c'est.

BARTHOLO. — Mon signalement! Ces gens-là croient toujours parler à des soldats.

LE COMTE. — Pensez-vous que ce soit une chose si difficile
10 à faire que votre signalement?

(AIR : *Ici sont venus en personne*.)

Le chef[1] branlant, la tête chauve,
Les yeux vérons[2], le regard fauve,
L'air farouche d'un Algonquin[3],
La taille lourde et déjetée,
15 L'épaule droite surmontée,
Le teint grenu d'un Maroquin,
Le nez fait comme un baldaquin,
La jambe pote[4] et circonflexe,
Le ton bourru, la voix perplexe,
20 Tous les appétits destructeurs;
Enfin la perle des docteurs[5].

---

1. *Chef* : tête (vieilli); 2. *Vérons* ou *vairons* : yeux dont l'iris est cerclé de blanc; par extension : de couleur différente; 3. *Algonquin* : tribu indienne du Canada; 4. *Pote* : gourde et gonflée; 5. Bartholo coupe le signalement à l'endroit qui lui plaît (note de Beaumarchais). D'habitude, on coupe après *Algonquin*.

--- **QUESTIONS** ---

28. SUR LA SCÈNE XII. — Cette arrivée du Comte est-elle attendue (voir acte premier, fin de la scène IV)? Comment Beaumarchais en renforce-t-il les effets comiques?

— Étant donné l'état d'esprit de Bartholo à ce moment, peut-on espérer beaucoup de cette ruse du Comte? Quelle première difficulté semble vouer sa tentative à l'échec?

— Est-ce pour préserver la sécurité de Rosine que Bartholo fait rentrer la jeune fille?

BARTHOLO. — Qu'est-ce que cela veut dire? Êtes-vous ici pour m'insulter? Délogez à l'instant.

LE COMTE. — Déloger! Ah, fi! que c'est mal parler! Savez-
25 vous lire, docteur... Barbe à l'eau?

BARTHOLO. — Autre question saugrenue.

LE COMTE. — Oh! que cela ne vous fasse pas de peine; car, moi qui suis pour le moins aussi docteur que vous...

BARTHOLO. — Comment cela?

30 LE COMTE. — Est-ce que je ne suis pas le médecin des chevaux du régiment? Voilà pourquoi l'on m'a exprès logé chez un confrère.

BARTHOLO. — Oser comparer un maréchal[1]!...

LE COMTE. —

(AIR : *Vive le vin.*)

35 *(Sans chanter.)*

Non, docteur, je ne prétends pas
Que notre art obtienne le pas
Sur Hippocrate[2] et sa brigade[3].

(En chantant.)
40

Votre savoir, mon camarade,
Est d'un succès plus général;
Car s'il n'emporte point le mal,
Il emporte au moins le malade.

C'est-il poli ce que je vous dis là?

BARTHOLO. — Il vous sied bien, manipuleur ignorant, de ravaler ainsi le premier, le plus grand et le plus utile des arts!

LE COMTE. — Utile tout à fait, pour ceux qui l'exercent.

45 BARTHOLO. — Un art dont le soleil s'honore d'éclairer les succès!

LE COMTE. — Et dont la terre s'empresse de couvrir les bévues[4].

BARTHOLO. — On voit bien, malappris, que vous n'êtes habitué de parler qu'à des chevaux.

50 LE COMTE. — Parler à des chevaux! Ah, docteur! pour un

---

1. *Maréchal :* dans la cavalerie, soldat chargé spécialement du soin des chevaux; 2. *Hippocrate :* médecin grec de l'Antiquité (vᵉ s. avant J.-C.), considéré comme le père de la médecine. Les médecins de Molière se réfèrent toujours à lui; 3. *Brigade :* sens général de « troupe »; ici, les médecins; 4. Réplique empruntée textuellement à *l'Ombre de Molière*, comédie de Brécourt (1674).

docteur d'esprit... N'est-il pas de notoriété que le maréchal guérit toujours ses malades sans leur parler; au lieu que le médecin parle beaucoup aux siens...

BARTHOLO. — Sans les guérir, n'est-ce pas?

55 LE COMTE. — C'est vous qui l'avez dit.

BARTHOLO. — Qui diable envoie ici ce maudit ivrogne?

LE COMTE. — Je crois que vous me lâchez des épigrammes[1], l'Amour!

BARTHOLO. — Enfin, que voulez-vous, que demandez-vous?

60 LE COMTE, *feignant une grande colère*. — Eh bien donc, il s'enflamme! Ce que je veux? Est-ce que vous ne le voyez pas? **(29)**

Scène XIV. — ROSINE, LE COMTE, BARTHOLO.

ROSINE, *accourant*. — Monsieur le soldat, ne vous emportez point, de grâce! *(A Bartholo.)* Parlez-lui doucement, monsieur : un homme qui déraisonne... **(30)**

LE COMTE. — Vous avez raison; il déraisonne, lui; mais 5 nous sommes raisonnables, nous! Moi poli, et vous jolie... enfin suffit. La vérité, c'est que je ne veux avoir affaire qu'à vous dans la maison.

ROSINE. — Que puis-je pour votre service, monsieur le soldat?

LE COMTE. — Une petite bagatelle, mon enfant. Mais s'il 10 y a de l'obscurité dans mes phrases...

ROSINE. — J'en saisirai l'esprit.

LE COMTE, *lui montrant la lettre*. — Non, attachez-vous à

_____

1. *Epigramme* : court poème d'intention satirique.

━━━━━ **QUESTIONS** ━━━━━

29. SUR LA SCÈNE XIII. — La verve comique de cette scène : comment Beaumarchais tire-t-il parti de tout ce qui peut opposer les deux personnages (âge, condition, etc.)?

— Les plaisanteries sur la médecine sont-elles nouvelles? Cherchez dans *Dom Juan*, dans *l'Amour médecin* et dans *le Malade imaginaire* des passages où Molière exploite déjà les mêmes effets comiques. Pourquoi est-ce Bartholo qui donne lui-même la fin de la réplique (ligne 54)?

— Les quatre dernières répliques de la scène : n'y aperçoit-on pas un peu trop le « métier » de l'auteur qui ménage une transition?

30. Pourquoi ce retour de Rosine? Cherchez dans la scène XII ce qui peut justifier la curiosité de la jeune fille.

la lettre, à la lettre. Il s'agit seulement... mais je dis, en tout bien
tout honneur, que vous me donniez à coucher ce soir. **(31)**

15   BARTHOLO. — Rien que cela?

LE COMTE. — Pas davantage. Lisez le billet doux que notre
maréchal des logis vous écrit.

BARTHOLO. — Voyons. *(Le Comte cache la lettre, et lui donne
un autre papier.)* *[Bartholo lit.]* « Le docteur Bartholo recevra,
20   nourrira, hébergera, couchera... »

LE COMTE, *appuyant*. — Couchera.

BARTHOLO. — « Pour une nuit seulement, le nommé Lindor
dit L'Écolier, cavalier du régiment... »

ROSINE. — C'est lui, c'est lui-même.

25   BARTHOLO, *vivement à Rosine*. — Qu'est-ce qu'il y a?

LE COMTE. — Eh bien, ai-je tort à présent, docteur Barbaro?

BARTHOLO. — On dirait que cet homme se fait un malin
plaisir de m'estropier de toutes les manières possibles. Allez
au diable, Barbaro, Barbe à l'eau! et dites à votre impertinent
30   maréchal des logis que, depuis mon voyage à Madrid, je suis
exempt de loger des gens de guerre.

LE COMTE *(à part)*. — O ciel! fâcheux contretemps!

BARTHOLO. — Ah! ah, notre ami, cela vous contrarie et
vous dégrise un peu! Mais n'en décampez pas moins à l'ins-
35   tant. **(32)**

LE COMTE *(à part)*. — J'ai pensé me trahir[1]. *(Haut.)* Décamper! si vous êtes exempt de gens de guerre, vous n'êtes pas
exempt de politesse, peut-être? Décamper! montrez-moi votre
brevet d'exemption; quoique je ne sache pas lire, je verrai
40   bientôt.

BARTHOLO. — Qu'à cela ne tienne. Il est dans ce bureau.

---

1. J'ai cru que je me trahissais.

─────── **QUESTIONS** ───────

31. Montrez l'habileté de Beaumarchais à mettre en place la situation qu'il va exploiter : comment la feinte ivresse du Comte lui permet-elle d'avertir Rosine et de la mettre dans son jeu? L'importance de
la lettre déjà entrevue scène XII. Tout semble-t-il prêt pour la réussite
du Comte?

32. Le mouvement comique dans cette première phase : à quoi voit-on
que le Comte se croit sûr de réussir? Importance de la réplique de
Rosine (ligne 24). — Comment la situation se retourne-t-elle?

LE ᴄᴏᴍᴛᴇ, *pendant qu'il y va, dit, sans quitter sa place.* — Ah! ma belle Rosine!

Rᴏsɪɴᴇ. — Quoi! Lindor, c'est vous?

45 LE ᴄᴏᴍᴛᴇ. — Recevez au moins cette lettre.

Rᴏsɪɴᴇ. — Prenez garde, il a les yeux sur nous.

LE ᴄᴏᴍᴛᴇ. — Tirez votre mouchoir, je la laisserai tomber. *(Il s'approche.)*

Bᴀʀᴛʜᴏʟᴏ. — Doucement, doucement, seigneur soldat; je n'aime point qu'on regarde ma femme de si près.

50 LE ᴄᴏᴍᴛᴇ. — Elle est votre femme?

Bᴀʀᴛʜᴏʟᴏ. — Eh quoi donc?

LE ᴄᴏᴍᴛᴇ. — Je vous ai pris pour son bisaïeul paternel, maternel, sempiternel : il y a au moins trois générations entre elle et vous.

55 Bᴀʀᴛʜᴏʟᴏ *lit un parchemin.* — « Sur les bons et fidèles témoignages qui nous ont été rendus... »

LE ᴄᴏᴍᴛᴇ *donne un coup de main sous les parchemins, qui les envoie au plancher.* — Est-ce que j'ai besoin de tout ce verbiage?

60 Bᴀʀᴛʜᴏʟᴏ. — Savez-vous bien, soldat, que si j'appelle mes gens, je vous fais traiter sur-le-champ comme vous le méritez? **(33)**

LE ᴄᴏᴍᴛᴇ. — Bataille? Ah, volontiers, bataille! c'est mon métier à moi *(Montrant son pistolet de ceinture)*, et voici de 65 quoi leur jeter de la poudre aux yeux. Vous n'avez peut-être jamais vu de bataille, madame?

Rᴏsɪɴᴇ. — Ni ne veux en voir.

LE ᴄᴏᴍᴛᴇ. — Rien n'est pourtant aussi gai que bataille. Figurez-vous *(Poussant le docteur)* d'abord que l'ennemi est 70 d'un côté du ravin, et les amis de l'autre. *(A Rosine, en lui montrant la lettre.)* Sortez le mouchoir. *(Il crache à terre.)*

─────── **QUESTIONS** ───────

33. Comment le Comte rétablit-il la situation à son avantage? Dans quelle mesure son plan progresse-t-il? Montrez le mélange de prudence et d'audace qui caractérise sa manœuvre. — Bartholo est-il complètement dupe? Quels moyens utilise le Comte pour le provoquer?

Voilà le ravin, cela s'entend[1]. (*Rosine tire son mouchoir; le Comte laisse tomber sa lettre entre elle et lui.*)

BARTHOLO, *se baissant.* — Ah, ah!

75 LE COMTE *la reprend et dit.* — Tenez... moi qui allais vous apprendre les secrets de mon métier... Une femme bien discrète, en vérité! ne voilà-t-il pas un billet doux qu'elle laisse tomber de sa poche?

BARTHOLO. — Donnez, donnez.

80 LE COMTE. — *Dulciter*[2], papa! chacun son affaire. Si une ordonnance de rhubarbe était tombée de la vôtre?

ROSINE *avance la main.* — Ah! je sais ce que c'est, monsieur le soldat. (*Elle prend la lettre, qu'elle cache dans la petite poche de son tablier.*)

85 BARTHOLO. — Sortez-vous enfin? (34)

LE COMTE. — Eh bien, je sors. Adieu, docteur; sans rancune. Un petit compliment, mon cœur : priez la mort de m'oublier encore quelques campagnes; la vie ne m'a jamais été si chère.

BARTHOLO. — Allez toujours. Si j'avais ce crédit-là sur la
90 mort[3]...

LE COMTE. — Sur la mort? N'êtes-vous pas médecin? Vous faites tant de choses pour elle, qu'elle n'a rien à vous refuser. (*Il sort.*) (35) (36)

---

1. Il y a peut-être là un souvenir du récit de Sosie dans *Amphitryon* (vers 238 et suivants); 2. *Dulciter :* doucement; 3. Je ne lui demanderais pas de vous épargner.

─────── QUESTIONS ───────

34. Le rythme de ce passage : la part du comique visuel dans ce moment décisif. Comment le Comte prend-il un nouvel avantage sur Bartholo malgré la méfiance de celui-ci?

35. A quel jeu revient maintenant le Comte? A quoi voit-on qu'il est satisfait de lui? Le spectateur est-il aussi certain de sa complète réussite?

36. SUR L'ENSEMBLE DE LA SCÈNE XIV. — La situation des trois personnages réunis pour la première fois : jusqu'à quel point la complicité de Rosine et d'Almaviva ligués contre Bartholo est-elle efficace? Pourquoi Bartholo, tout en ne soupçonnant pas l'identité du cavalier ivre, reste-t-il toujours sur ses gardes? Comment alternent, chez le spectateur, les moments d'espoir et d'appréhension?

— Énumérez et analysez les effets comiques : sur quel rythme se succèdent-ils?

— Le rôle du Comte dans cette suite de rebondissements : Figaro ferait-il mieux? Qu'en conclure de la manière dont Beaumarchais a conçu le personnage d'Almaviva?

— Quelle étape marque cette scène dans l'intrigue amoureuse entre Rosine et Almaviva?

Scène XV. — BARTHOLO, ROSINE.

BARTHOLO *le regarde aller*. — Il est enfin parti! *(A part.)* Dissimulons. (37)

ROSINE. — Convenez pourtant, monsieur, qu'il est bien gai, ce jeune soldat! A travers son ivresse, on voit qu'il ne manque
5 ni d'esprit, ni d'une certaine éducation.

BARTHOLO. — Heureux, m'amour, d'avoir pu nous en délivrer! Mais n'es-tu pas un peu curieuse de lire avec moi le papier qu'il t'a remis?

ROSINE. — Quel papier?

10 BARTHOLO. — Celui qu'il a feint de ramasser pour te le faire accepter.

ROSINE. — Bon! c'est la lettre de mon cousin l'officier, qui était tombée de ma poche.

BARTHOLO. — J'ai idée, moi, qu'il l'a tirée de la sienne.

15 ROSINE. — Je l'ai très bien reconnue.

BARTHOLO. — Qu'est-ce qu'il te coûte d'y regarder?

ROSINE. — Je ne sais pas seulement ce que j'en ai fait.

BARTHOLO, *montrant la pochette*. — Tu l'as mise là.

ROSINE. — Ah, ah, par distraction.

20 BARTHOLO. — Ah! sûrement. Tu vas voir que ce sera quelque folie. (38)

ROSINE, *à part*. — Si je ne le mets pas en colère, il n'y aura pas moyen de refuser.

BARTHOLO. — Donne donc, mon cœur.

25 ROSINE. — Mais quelle idée avez-vous en insistant, monsieur? Est-ce encore quelque méfiance?

BARTHOLO. — Mais vous, quelle raison avez-vous de ne pas la montrer?

─────── **QUESTIONS** ───────

37. Importance de cette première réplique : devant quelle situation se trouve à nouveau le spectateur?

38. Le ton et la tactique de Bartholo : soupçonne-t-il Rosine d'être la complice du cavalier inconnu? Pourquoi a-t-il intérêt, en tout cas, à prendre d'abord Rosine par la douceur? — Le premier mensonge de Rosine (ligne 12) est-il tout entier de son invention? Se défend-elle bien contre l'esprit inquisiteur de Bartholo?

ROSINE. — Je vous répète, monsieur, que ce papier n'est
30 autre que la lettre de mon cousin, que vous m'avez rendue
hier toute décachetée; et puisqu'il en est question, je vous dirai
tout net que cette liberté me déplaît excessivement.

BARTHOLO. — Je ne vous entends[1] pas.

ROSINE. — Vais-je examiner les papiers qui vous arrivent?
35 Pourquoi vous donnez-vous les airs de toucher à ceux qui me
sont adressés? Si c'est jalousie, elle m'insulte; s'il s'agit de
l'abus d'une autorité usurpée, j'en suis plus révoltée encore.

BARTHOLO. — Comment, révoltée! Vous ne m'avez jamais
parlé ainsi.

40 ROSINE. — Si je me suis modérée jusqu'à ce jour, ce n'était
pas pour vous donner le droit de m'offenser impunément.

BARTHOLO. — De quelle offense me parlez-vous?

ROSINE. — C'est qu'il est inouï qu'on se permette d'ouvrir
les lettres de quelqu'un.

45 BARTHOLO. — De sa femme?

ROSINE. — Je ne la[2] suis pas encore. Mais pourquoi lui
donnerait-on la préférence d'une indignité qu'on ne fait à
personne?

BARTHOLO. — Vous voulez me faire prendre le change, et
50 détourner mon attention du billet qui, sans doute, est une mis-
sive de quelque amant. Mais je le verrai, je vous assure. (**39**)

ROSINE. — Vous ne le verrez pas. Si vous m'approchez, je
m'enfuis de cette maison, et je demande retraite au premier
venu.

55 BARTHOLO. — Qui ne vous recevra point.

ROSINE. — C'est ce qu'il faudra voir.

BARTHOLO. — Nous ne sommes pas ici en France, où l'on
donne toujours raison aux femmes : mais, pour vous en ôter
la fantaisie, je vais fermer la porte.

---

1. *Entendre :* comprendre; 2. *La :* emploi classique du féminin, où le français
moderne dirait plutôt : « je le suis ».

■ QUESTIONS

39. Quel résultat Rosine peut-elle espérer de la colère de Bartholo?
Recherchez dans la scène iv un moment où la jeune fille tire profit de
la colère de Bartholo. — Les revendications de Rosine pouvaient-elles
trouver un écho favorable chez les spectatrices de 1775? Ont-elles encore
quelque actualité? — La manœuvre de Rosine aboutit-elle au résultat
cherché?

60   ROSINE, *pendant qu'il y va.* — Ah ciel! que faire?... Mettons
vite à la place la lettre de mon cousin, et donnons-lui beau
jeu à la prendre. *(Elle fait l'échange, et met la lettre du cousin
dans sa pochette, de façon qu'elle sorte un peu.)* **(40)**

   BARTHOLO, *revenant.* — Ah! j'espère maintenant la voir.

65   ROSINE. — De quel droit, s'il vous plaît ?

   BARTHOLO. — Du droit le plus universellement reconnu,
celui du plus fort.

   ROSINE. — On me tuera plutôt que de l'obtenir de moi.

   BARTHOLO, *frappant du pied.* — Madame! madame!...

70   ROSINE *tombe sur un fauteuil, et feint de se trouver mal.* — Ah!
quelle indignité!...

   BARTHOLO. — Donnez cette lettre, ou craignez ma colère.

   ROSINE, *renversée.* — Malheureuse Rosine!

   BARTHOLO. — Qu'avez-vous donc?

75   ROSINE. — Quel avenir affreux!

   BARTHOLO. — Rosine!

   ROSINE. — J'étouffe de fureur.

   BARTHOLO. — Elle se trouve mal.

   ROSINE. — Je m'affaiblis, je meurs.

80   BARTHOLO *lui tâte le pouls et dit à part.* — Dieux! la lettre!
Lisons-la sans qu'elle en soit instruite. *(Il continue à lui tâter
le pouls, et prend la lettre, qu'il tâche de lire en se tournant un
peu.)*

   ROSINE, *toujours renversée.* — Infortunée! ah!...

85   BARTHOLO *lui quitte le bras, et dit à part.* — Quelle rage
a-t-on d'apprendre ce qu'on craint toujours de savoir!

   ROSINE. — Ah! pauvre Rosine!

─────── **QUESTIONS** ───────

40. Quelle attitude prend Bartholo quand on lui résiste? Rosine
avait-elle réellement prévu que son tuteur s'éloignerait un instant? Le
retournement de la situation : le sentiment du spectateur au moment
où Rosine dissimule la lettre. — Commentez la réflexion de Bartholo
aux lignes 57-59 : comment l'auteur se ménage-t-il ici la complicité du
spectateur? — Analysez l'humour de cette réplique.

BARTHOLO. — L'usage des odeurs... produit ces affections spasmodiques[1]. *(Il lit par-derrière le fauteuil, en lui tâtant le* 90 *pouls. Rosine se relève un peu, le regarde finement, fait un geste de la tête, et se remet sans parler.)*

BARTHOLO, *à part.* — O ciel! c'est la lettre de son cousin. Maudite inquiétude! Comment l'apaiser maintenant? Qu'elle ignore au moins que je l'aie lue! *(Il fait semblant de la soutenir,* 95 *et remet la lettre dans la pochette.)*

ROSINE *soupire.* — Ah!...

BARTHOLO. — Eh bien! ce n'est rien, mon enfant; un petit mouvement de vapeur[2], voilà tout; car ton pouls n'a seulement pas varié. *(Il va prendre un flacon sur la console[3].)*

100 ROSINE, *à part.* — Il a remis la lettre! fort bien. **(41)**

BARTHOLO. — Ma chère Rosine, un peu de cette eau spi- ritueuse[4]?

ROSINE. — Je ne veux rien de vous : laissez-moi.

BARTHOLO. — Je conviens que j'ai montré trop de vivacité 105 sur ce billet.

ROSINE. — Il s'agit bien du billet! C'est votre façon de deman- der les choses qui est révoltante.

BARTHOLO, *à genoux.* — Pardon : j'ai bientôt senti tous mes torts; et tu me vois à tes pieds, prêt à les réparer.

---

1. *Spasmodiques* : dues à des spasmes, c'est-à-dire à la contraction de certains organes (estomac, intestin); 2. *Vapeurs* : mouvement des humeurs morbides, qui, selon l'ancienne médecine et l'opinion populaire, montaient au cerveau et produi- saient un état de malaise; 3. *Console* : meuble d'ornement posé contre le mur et desti- tiné à soutenir des vases, coupes, statuettes; 4. *Spiritueuse* : légèrement alcoolisée.

■ QUESTIONS ───

41. L'habileté de Rosine : y a-t-il dans son attitude rien qui puisse faire soupçonner à Bartholo qu'elle est maintenant maîtresse de la situa- tion? Quel plaisir se donne-t-elle à jouer la comédie de l'évanouisse- ment? — Analysez réplique par réplique le rôle de Bartholo dans cette partie de la scène : s'inquiète-t-il beaucoup du malaise de Rosine? — Quel trait caractéristique du jaloux apparaît aux lignes 85-86? Cette inquiétude atténue-t-elle le ridicule de Bartholo aux yeux du spectateur? — Le diagnostic de Bartholo (lignes 88-89) : ne devrait-il pas s'apercevoir que la maladie de Rosine est simulée? Se trompe-t-il toutefois complète- ment (lignes 97-99)? — Comment le médecin et le tuteur jaloux se confondent-ils ici en un même personnage? — Quelle est la situation à la fin de cette phase de la scène (ligne 100)?

110 ROSINE. — Oui, pardon! lorsque vous croyez que cette lettre ne vient pas de mon cousin.

BARTHOLO. — Qu'elle soit d'un autre ou de lui, je ne veux aucun éclaircissement.

ROSINE, *lui présentant la lettre*. — Vous voyez qu'avec de 115 bonnes façons, on obtient tout de moi. Lisez-la.

BARTHOLO. — Cet honnête procédé dissiperait mes soupçons, si j'étais assez malheureux pour en conserver.

ROSINE. — Lisez-la donc, monsieur.

BARTHOLO *se retire*. — A Dieu ne plaise que je te fasse une 120 pareille injure!

ROSINE. — Vous me contrariez de la refuser.

BARTHOLO. — Reçois en réparation cette marque de ma parfaite confiance. Je vais voir la pauvre Marceline, que ce Figaro a, je ne sais pourquoi, saignée au pied; n'y viens-tu pas aussi?

125 ROSINE. — J'y monterai dans un moment.

BARTHOLO. — Puisque la paix est faite, mignonne, donne-moi ta main. Si tu pouvais m'aimer, ah! comme tu serais heureuse!

ROSINE, *baissant les yeux*. — Si vous pouviez me plaire, ah! 130 comme je vous aimerais!

BARTHOLO. — Je te plairai, je te plairai; quand je te dis que je te plairai! *(Il sort.)* **(42) (43)**

─────── **QUESTIONS** ───────

42. Montrez que Rosine prend progressivement conscience de sa supériorité, en jouant du dépit, de la générosité, puis de l'impertinence ironique. Lui est-il souvent arrivé auparavant de tenir ainsi Bartholo à sa discrétion? — Pourquoi Bartholo, d'habitude si tyrannique, accepte-t-il de s'humilier? Dans quelle mesure est-il sincère?

43. Sur l'ensemble de la scène XV. — Le mécanisme comique de cette scène : comment Beaumarchais exploite-t-il le thème traditionnel du trompeur trompé?
— Quel est le moment crucial de la scène? Rosine a-t-elle volontairement cherché à éloigner Bartholo? A-t-elle prémédité la substitution des lettres? Appréciez la façon dont Beaumarchais allègue les responsabilités de Rosine dans cette tromperie : dans quelle intention?
— Le personnage de Rosine : son entrevue avec Lindor (scène XIV) a-t-elle eu de l'influence sur sa façon d'agir?
— Le personnage de Bartholo : quel trait dominant de son caractère se confirme encore ici, d'un bout à l'autre de la scène?

Scène XVI. — ROSINE *le regarde aller.*

Ah! Lindor! Il dit qu'il me plaira!... Lisons cette lettre, qui a manqué de me causer tant de chagrin. *(Elle lit et s'écrie.)* Ha!... j'ai lu trop tard; il me recommande de tenir une querelle ouverte avec mon tuteur : j'en avais une si bonne, et je l'ai
5 laissée échapper. En recevant la lettre, j'ai senti que je rougissais jusqu'aux yeux. Ah! mon tuteur a raison : je suis bien loin d'avoir cet usage du monde qui, me dit-il souvent, assure le maintien des femmes en toute occasion! Mais un homme injuste parviendrait à faire une rusée de l'innocence
10 même. **(44) (45)**

ACTE III[1]

Même décor qu'à l'acte II.

Scène première. — BARTHOLO, *seul et désolé.*

Quelle humeur! quelle humeur! Elle paraissait apaisée... Là,

---

1. Cet acte avait été partagé en deux, lorsque Beaumarchais avait divisé sa comédie en cinq actes.

——— QUESTIONS ———

44. Sur la scène XVI. — Utilité de ce court monologue pour l'action : la lettre du Comte était-elle un simple message d'amour? Pourquoi tout est-il remis en question?

— Montrez qu'il était nécessaire, en cette fin d'acte, de renouveler la curiosité du spectateur.

— L'intérêt psychologique : dans quelle mesure Rosine regrette-t-elle d'être obligée de recourir au mensonge et à la ruse? Comparez ses réflexions à celles de la scène III de l'acte premier (lignes 36-38).

45. Sur l'ensemble de l'acte II. — Composition de l'acte : quel est l'événement attendu qui se trouve en son centre? Importance des scènes IV, XI, XIV.

— Le développement de l'action : quelles sont les péripéties de la lutte qui oppose Lindor et Rosine à Bartholo?

— Comment chacun des deux partis se défend-il contre l'autre? Quel allié de Bartholo commence à entrer dans le jeu? L'avantage pris par le Comte et Rosine est-il décisif?

— Le personnage de Rosine; son évolution depuis le premier acte : quels traits de sa personnalité s'affirment à mesure qu'elle devient plus amoureuse? L'importance de sa première entrevue avec Lindor. Faites une comparaison avec l'Agnès de Molière : ressemblances et différences.

— Le rôle de Figaro et celui d'Almaviva dans cet acte.

ROSINE (Micheline Boudet) ET FIGARO (Jean Piat)
À LA COMÉDIE-FRANÇAISE

qu'on me dise qui diable lui a fourré dans la tête de ne plus vouloir prendre leçon de don Bazile! Elle sait qu'il se mêle de mon mariage... *(On heurte à la porte.)* Faites tout au monde
5 pour plaire aux femmes; si vous omettez un seul petit point... je dis un seul... *(On heurte une seconde fois.)* Voyons qui c'est. **(1)**

SCÈNE II. — BARTHOLO, LE COMTE, *en bachelier*[1].

LE COMTE. — Que la paix et la joie habitent toujours céans[2]!

BARTHOLO, *brusquement.* — Jamais souhait ne vint plus à propos. Que voulez-vous?

LE COMTE. — Monsieur, je suis Alonzo, bachelier licencié...

5 BARTHOLO. — Je n'ai pas besoin de précepteur.

LE COMTE. — ... élève de don Bazile, organiste du grand couvent, qui a l'honneur de montrer la musique à madame votre...

BARTHOLO. — Bazile! organiste! qui a l'honneur!... Je le
10 sais; au fait.

LE COMTE. — *(A part.)* Quel homme! *(Haut.)* Un mal subit qui le force à garder le lit...

BARTHOLO. — Garder le lit! Bazile! Il a bien fait d'envoyer; je vais le voir à l'instant.

15 LE COMTE. — *(A part.)* Oh diable! *(Haut.)* Quand je dis le lit, monsieur, c'est... la chambre que j'entends.

BARTHOLO. — Ne fût-il qu'incommodé! Marchez devant, je vous suis. **(2)**

---

1. *Bachelier* : voir page 67, note 2; 2. *Céans* : ici dedans (vieilli).

——— **QUESTIONS** ———————————

1. Que s'est-il passé pendant l'entracte? — Comparez ce monologue initial à ceux qui ouvrent le premier et le deuxième acte : valeur de ce procédé pour la technique dramatique.
2. Pourquoi le spectateur comprend-il immédiatement qu'il s'agit d'un nouveau déguisement du Comte, sans avoir été cependant prévenu? — Est-il vraisemblable que Bartholo ne reconnaisse pas le cavalier ivre du deuxième acte? — Montrez que sa méfiance systématique, sa mauvaise humeur justifient cette « distraction ». — Quel accueil fait-il au nouvel arrivant sans même regarder son visage? Quelle est l'unique préoccupation de Bartholo? — Le stratagème du Comte semble-t-il voué au succès?

LE COMTE, *embarrassé.* — Monsieur, j'étais chargé... Per-
20 sonne ne peut-il nous entendre?

BARTHOLO. — *(A part.)* C'est quelque fripon. *(Haut.)* Eh
non, monsieur le mystérieux! parlez sans vous troubler, si
vous pouvez.

LE COMTE. — *(A part.)* Maudit vieillard! *(Haut.)* Don Bazile
25 m'avait chargé de vous apprendre...

BARTHOLO. — Parlez haut, je suis sourd d'une oreille.

LE COMTE, *élevant la voix.* — Ah! volontiers... que le comte
Almaviva, qui restait à la grande place...

BARTHOLO, *effrayé.* — Parlez bas, parlez bas!

30 LE COMTE, *plus haut.* — ... en est délogé ce matin. Comme
c'est par moi qu'il a su que le comte Almaviva...

BARTHOLO. — Bas; parlez bas, je vous prie.

LE COMTE, *du même ton.* — ... était en cette ville, et que j'ai
découvert que la signora Rosine lui a écrit...

35 BARTHOLO. — Lui a écrit? Mon cher ami, parlez plus bas,
je vous en conjure! Tenez, asseyons-nous, et jasons d'amitié.
Vous avez découvert, dites-vous, que Rosine... **(3)**

LE COMTE, *fièrement.* — Assurément. Bazile, inquiet pour
vous de cette correspondance, m'avait prié de vous montrer
40 sa lettre; mais la manière dont vous prenez les choses...

BARTHOLO. — Eh mon Dieu! je les prends bien. Mais ne
vous est-il donc pas possible de parler plus bas?

LE COMTE. — Vous êtes sourd d'une oreille, avez-vous dit.

BARTHOLO. — Pardon, pardon, seigneur Alonzo, si vous
45 m'avez trouvé méfiant et dur; mais je suis tellement entouré
d'intrigants, de pièges...; et puis votre tournure, votre âge,
votre air... Pardon, pardon. Eh bien! vous avez la lettre?

─────── **QUESTIONS** ───────

3. Comment le Comte essaie-t-il de « rattraper » une situation apparemment perdue? A quoi voit-on qu'il est forcé d'improviser ses stratagèmes? — Le jeu comique né de la surdité de Bartholo : est-ce seulement ici l'effet de farce qu'on tire traditionnellement de cette infirmité?
— Les apartés, leur importance : dans quelle mesure contribuent-ils à
faire participer davantage le spectateur au jeu? — Pourquoi la méfiance
de Bartholo s'atténue-t-elle?

LE COMTE. — A la bonne heure sur ce ton, monsieur! mais je crains qu'on ne soit aux écoutes.

50 BARTHOLO. — Eh! qui voulez-vous? tous mes valets sur les dents! Rosine enfermée de fureur! Le diable est entré chez moi. Je vais encore m'assurer... *(Il va ouvrir doucement la porte de Rosine.)* **(4)**

LE COMTE, *à part*. — Je me suis enferré de dépit. Garder la
55 lettre, à présent! Il faudra m'enfuir : autant vaudrait n'être pas venu... La lui montrer!... Si je puis en prévenir Rosine, la montrer est un coup de maître. **(5)**

BARTHOLO *revient sur la pointe du pied*. — Elle est assise auprès de sa fenêtre, le dos tourné à la porte, occupée à relire
60 une lettre de son cousin l'officier, que j'avais décachetée... Voyons donc la sienne.

LE COMTE *lui remet la lettre de Rosine*. — La voici. *(A part.)* C'est ma lettre qu'elle relit.

BARTHOLO *lit*. — « *Depuis que vous m'avez appris votre nom*
65 *et votre état...* » Ah! la perfide! c'est bien là sa main.

LE COMTE, *effrayé*. — Parlez donc bas à votre tour.

BARTHOLO. — Quelle obligation, mon cher!...

LE COMTE. — Quand tout sera fini, si vous croyez m'en devoir, vous serez le maître. D'après un travail que fait actuellement
70 don Bazile avec un homme de loi...

BARTHOLO. — Avec un homme de loi, pour mon mariage?

LE COMTE. — Vous aurais-je arrêté sans cela? Il m'a chargé de vous dire que tout peut être prêt pour demain. Alors, si elle résiste...

75 BARTHOLO. — Elle résistera.

─────── **QUESTIONS** ───────

4. L'effet comique né du renversement des rôles : le plaisir que trouve le Comte à jouer avec sa dupe. Montrez que ce dilettantisme est bien proche de celui de Figaro. — N'est-ce pas aussi le meilleur moyen d'endormir la défiance de Bartholo?

5. Importance de cette dernière réplique : quel est désormais le plan du Comte? Sera-t-il facile de dénouer un tel imbroglio?

LE COMTE *veut reprendre la lettre, Bartholo la serre.* — Voilà l'instant où je puis vous servir : nous lui montrerons sa lettre et s'il le faut *(Plus mystérieusement)* j'irai jusqu'à lui dire que je la tiens d'une femme à qui le comte l'a sacrifiée. Vous
80 sentez que le trouble, la honte, le dépit peuvent la porter sur-le-champ...

BARTHOLO, *riant.* — De la calomnie! Mon cher ami, je vois bien maintenant que vous venez de la part de Bazile! Mais pour que ceci n'eût pas l'air concerté, ne serait-il pas bon
85 qu'elle vous connût d'avance? **(6)**

LE COMTE *réprime un grand mouvement de joie.* — C'est assez l'avis de don Bazile. Mais comment faire? il est tard... au peu de temps qui reste...

BARTHOLO. — Je dirai que vous venez en sa place. Ne lui
90 donnerez-vous pas bien une leçon?

LE COMTE. — Il n'y a rien que je ne fasse pour vous plaire. Mais prenez garde que toutes ces histoires de maîtres supposés sont de vieilles finesses, des moyens de comédie. Si elle va se douter...?

95 BARTHOLO. — Présenté. par moi, quelle apparence? Vous avez plus l'air d'un amant déguisé, que d'un ami officieux.

LE COMTE. — Oui? Vous croyez donc que mon air peut aider à la tromperie?

BARTHOLO. — Je le donne au plus fin à deviner. Elle est ce
100 soir d'une humeur horrible. Mais quand elle ne ferait que vous voir... Son clavecin est dans ce cabinet. Amusez-vous en l'attendant : je vais faire l'impossible pour l'amener.

LE COMTE. — Gardez-vous bien de lui parler de la lettre.

BARTHOLO. — Avant l'instant décisif? Elle perdrait tout son

——— **QUESTIONS** ———

6. Montrez que chaque réplique, depuis la ligne 62, apporte un nouvel effet comique. En quoi la présence toute proche de Rosine met-elle la manœuvre du Comte en péril (ligne 66)? — Le faux Alonzo escomptait-il que Bartholo garderait la lettre? Son ingéniosité à tirer parti de cette situation. — Peut-on dire que la clairvoyance de Bartholo soit complètement mise en échec?

105 effet. Il ne faut pas me dire deux fois les choses : il ne faut pas me les dire deux fois. *(Il s'en va.)* **(7) (8)**

SCÈNE III. — LE COMTE, *seul.*

Me voilà sauvé. Ouf! Que ce diable d'homme est rude à manier! Figaro le connaît bien. Je me voyais mentir; cela me donnait un air plat et gauche; et il a des yeux!... Ma fois, sans l'inspiration subite de la lettre, il faut l'avouer, j'étais éconduit
5 comme un sot. O ciel! on dispute là-dedans. Si elle allait s'obstiner à ne pas venir! Écoutons... Elle refuse de sortir de chez elle, et j'ai perdu le fruit de ma ruse. *(Il retourne écouter.)* La voici; ne nous montrons pas d'abord. *(Il entre dans le cabinet.)* **(9)**

SCÈNE IV. — LE COMTE, ROSINE, BARTHOLO.

ROSINE, *avec une colère simulée.* — Tout ce que vous direz est inutile, monsieur. J'ai pris mon parti; je ne veux plus entendre parler de musique.

—————— **QUESTIONS** ——————

7. Quelle a été pour Bartholo la meilleure preuve qu'Alonzo n'était pas un imposteur? Comment Beaumarchais exploite-t-il à fond la situation comique en cette fin de scène? Expliquez notamment le comique des répliques de Bartholo (lignes 95-96 et 100-101).

8. SUR L'ENSEMBLE DE LA SCÈNE II. — Étudiez le comique de situation : Alonzo et le Comte étant le même personnage, quel effet comique résulte des informations qu'Alonzo donne sur le Comte? Comment réussit-il à tromper Bartholo en lui disant toute la vérité?

— Commentez la réplique du Comte rappelant que *ces histoires de maîtres supposés sont de vieilles finesses, des moyens de comédie* (ligne 92); rapprochez cette remarque de la situation créée par Molière dans *le Malade imaginaire* (acte II, scène v). Est-il habile de la part de Beaumarchais de se placer ainsi lui-même dans une certaine tradition comique?

— Comparez cette scène aux scènes XIII et XIV de l'acte II. Est-il logique que le Comte ait recours encore une fois au procédé du déguisement? En quoi a-t-il perfectionné sa méthode? Pourquoi la répétition du même moyen comique n'est-elle pas lassante pour le spectateur?

— Les péripéties de la scène : le Comte prend-il l'avantage sur Bartholo? A quel prix?

9. SUR LA SCÈNE III. — Importance de ce monologue, malgré sa brièveté. — Bartholo vu par Almaviva. Comment cette scène fait-elle la transition?

BARTHOLO. — Écoutez donc, mon enfant; c'est le seigneur
5 Alonzo, l'élève et l'ami de don Bazile, choisi par lui pour être
un de nos témoins... La musique te calmera, je t'assure.

ROSINE. — Oh! pour cela, vous pouvez vous en détacher.
Si je chante ce soir!... Où donc est-il ce maître que vous crai-
10 gnez de renvoyer? Je vais, en deux mots, lui donner son compte,
et celui de Bazile. *(Elle aperçoit son amant ; elle fait un cri.)* Ah!...

BARTHOLO. — Qu'avez-vous?

ROSINE, *les deux mains sur son cœur, avec un grand trouble.* —
Ah! mon Dieu, monsieur... Ah! mon Dieu, monsieur...

BARTHOLO. — Elle se trouve encore mal! Seigneur Alonzo!

15 ROSINE. — Non, je ne me trouve pas mal... mais c'est qu'en
me tournant... Ah!...

LE COMTE. — Le pied vous a tourné, madame?

ROSINE. — Ah! oui, le pied m'a tourné. Je me suis fait un
mal horrible.

20 LE COMTE. — Je m'en suis bien aperçu.

ROSINE, *regardant le Comte.* — Le coup m'a porté au cœur.

BARTHOLO. — Un siège, un siège. Et pas un fauteuil ici?
(Il va le chercher.)

LE COMTE. — Ah! Rosine!

25 ROSINE. — Quelle imprudence!

LE COMTE. — J'ai mille choses essentielles à vous dire.

ROSINE. — Il ne nous quittera pas.

LE COMTE. — Figaro va venir nous aider. **(10)**

BARTHOLO *apporte un fauteuil.* — Tiens, mignonne, assieds-

───── **QUESTIONS** ─────────────

10. La situation au début de la scène : comment le Comte risque-t-il
d'être victime de sa propre ruse? — Rosine a-t-elle beaucoup de peine
à simuler la colère contre Bartholo? N'est-ce pas le même aspect
de sa sensibilité qui explique sa défaillance? Comparez son attitude à
celle de Lucile reconnaissant Cléonte dans *le Bourgeois gentilhomme*
(acte V, scène v) et à celle d'Angélique reconnaissant Cléante dans *le
Malade imaginaire* (acte II, scène v). — Est-ce la compassion qui s'em-
pare de Bartholo quand il voit Rosine se trouver *encore mal* (se rappeler
la scène xv de l'acte II)? — Comment les trois dernières répliques
posent-elles les grandes lignes de la scène qui commence?

30 toi. — Il n'y a pas d'apparence, bachelier, qu'elle prenne de leçon ce soir; ce sera pour un autre jour. Adieu.

ROSINE, *au Comte.* — Non, attendez; ma douleur est un peu apaisée. *(A Bartholo.)* Je sens que j'ai eu tort avec vous, monsieur : je veux vous imiter, en réparant sur-le-champ...

35 BARTHOLO. — Oh! le bon petit naturel de femme! Mais après une pareille émotion, mon enfant, je ne souffrirai pas que tu fasses le moindre effort. Adieu, adieu, bachelier.

ROSINE, *au Comte.* — Un moment, de grâce! *(A Bartholo.)* Je croirai, monsieur, que vous n'aimez pas à m'obliger, si vous
40 m'empêchez de vous prouver mes regrets en prenant ma leçon.

LE COMTE, *à part, à Bartholo.* — Ne la contrariez pas, si vous m'en croyez.

BARTHOLO. — Voilà qui est fini, mon amoureuse. Je suis si loin de chercher à te déplaire, que je veux rester là tout le temps
45 que tu vas étudier.

ROSINE. — Non, monsieur. Je sais que la musique n'a nul attrait pour vous.

BARTHOLO. — Je t'assure que ce soir elle m'enchantera.

ROSINE, *au Comte, à part.* — Je suis au supplice. **(11)**

50 LE COMTE, *prenant un papier de musique sur le pupitre.* — Est-ce là ce que vous voulez chanter, madame[1]?

ROSINE. — Oui, c'est un morceau très agréable de *la Précaution inutile.*

BARTHOLO. — Toujours *la Précaution inutile!*

55 LE COMTE. — C'est ce qu'il y a de plus nouveau aujourd'hui. C'est une image du printemps, d'un genre assez vif. Si madame veut l'essayer...

ROSINE, *regardant le Comte.* — Avec grand plaisir : un tableau du printemps me ravit; c'est la jeunesse de la nature. Au sortir
60 de l'hiver, il semble que le cœur acquière un plus haut degré de sensibilité : comme un esclave, enfermé depuis longtemps,

---

1. Voir dans la Documentation thématique un passage de la version en cinq actes, supprimé par Beaumarchais lors de la transformation de la pièce en quatre actes.

■━━━━ **QUESTIONS** ━━━━

11. L'effet comique de ce premier contretemps : peut-on reprocher à Bartholo son excès de sollicitude? — Sa méfiance est-elle tout à fait endormie?

goûte avec plus de plaisir le charme de la liberté qui vient de lui être offerte.

BARTHOLO, *bas au Comte*. — Toujours des idées romanesques en tête.

LE COMTE, *bas*. — En sentez-vous l'application?

BARTHOLO. — Parbleu! *(Il va s'asseoir dans le fauteuil qu'a occupé Rosine.)* **(12)**

ROSINE *chante*[1]. —

Quand, dans la plaine
L'amour ramène
Le printemps
Si chéri des amants,
Tout reprend l'être,
Son feu pénètre
Dans les fleurs
Et dans les jeunes cœurs.
On voit les troupeaux
Sortir des hameaux;
Dans tous les coteaux
Les cris des agneaux
Retentissent;
Ils bondissent;
Tout fermente;
Tout augmente;
Les brebis paissent
Les fleurs qui naissent;

---

1. Cette ariette, dans le goût espagnol, fut chantée le premier jour à Paris, malgré les huées, les rumeurs et le train usités au parterre en ces jours de crise et de combat. La timidité de l'actrice l'a depuis empêchée d'oser la redire, et les jeunes rigoristes du théâtre l'ont fort louée de cette réticence. Mais si la dignité de la Comédie-Française y a gagné quelque chose, il faut convenir que *le Barbier de Séville* y a beaucoup perdu. C'est pourquoi sur les théâtres où quelque peu de musique ne tirera pas tant à conséquence, nous invitons tous directeurs à la restituer, tous acteurs à la chanter, tous spectateurs à l'écouter, et tous critiques à nous la pardonner, en faveur du genre de la pièce et du plaisir que leur fera le morceau. (Note de Beaumarchais.) Aujourd'hui, l'artiste chante un air de son choix. Même usage dans l'opéra-comique de Rossini.

--- **QUESTIONS** ---

12. Quel jeu traditionnel commence ici, mais avec quelle variante qui le rend encore plus piquant? — Rosine ne manque-t-elle pas un peu de prudence (lignes 59-63)? Le Comte a-t-il raison de renforcer les soupçons de Bartholo et de le confirmer dans sa clairvoyance? — Examinez dans la Documentation thématique la partie du dialogue supprimée par Beaumarchais. L'auteur a-t-il eu raison d'élaguer ce passage? En quoi certaine virtuosité peut-elle devenir lassante?

Les chiens fidèles
Veillent sur elles;
Mais Lindor enflammé
90   Ne songe guère
Qu'au bonheur d'être aimé
De sa bergère.

(Même air.)

Loin de sa mère
Cette bergère
95   Va chantant
Où son amant l'attend.
Par cette ruse,
L'amour l'abuse;
Mais chanter
100 Sauve-t-il du danger?
Les doux chalumeaux,
Les chants des oiseaux,
Ses charmes naissants,
Ses quinze ou seize ans,
105   Tout l'excite,
Tout l'agite;
La pauvrette
S'inquiète;
De sa retraite,
110   Lindor la guette;
Elle s'avance;
Lindor s'élance;
Il vient de l'embrasser;
Elle, bien aise,
115 Feint de se courroucer
Pour qu'on l'apaise.

(Petite reprise.)

Les soupirs,
Les soins, les promesses,
Les vives tendresses,
120   Les plaisirs,
Le fin badinage,
Sont mis en usage;
Et bientôt la bergère
Ne sent plus de colère.
125 Si quelque jaloux
Trouble un bien si doux,
Nos amants d'accord
Ont un soin extrême...
... De voiler leur transport;

130
> Mais quand on s'aime,
> La gêne ajoute encor
> Au plaisir même.

(En l'écoutant, Bartholo s'est assoupi. Le Comte, pendant la petite reprise, se hasarde à prendre une main qu'il couvre de baisers. L'émotion ralentit le chant de Rosine, l'affaiblit, et finit même par lui couper la voix au milieu de la cadence, au mot : extrême. *L'orchestre suit les mouvements de la chanteuse, affaiblit son jeu, et se tait avec elle. L'absence du bruit qui avait endormi Bartholo, le réveille. Le Comte se relève, Rosine et l'orchestre reprennent subitement la suite de l'air. Si la petite reprise se répète, le même jeu recommence.)* **(13)**

LE COMTE. — En vérité, c'est un morceau charmant; et madame l'exécute avec une intelligence...

135 ROSINE. — Vous me flattez, seigneur; la gloire est tout entière au maître.

BARTHOLO, *bâillant.* — Moi, je crois que j'ai un peu dormi pendant le morceau charmant. J'ai mes malades. Je vas, je viens, je toupille[1], et sitôt que je m'assieds, mes pauvres
140 jambes! *(Il se lève et pousse le fauteuil.)*

ROSINE, *bas, au Comte.* — Figaro ne vient pas!

LE COMTE. — Filons le temps[2].

BARTHOLO. — Mais, bachelier, je l'ai déjà dit à ce vieux Bazile : est-ce qu'il n'y aurait pas moyen de lui faire étudier
145 des choses plus gaies que toutes ces grandes aria[3], qui vont en haut, en bas, en roulant, hi, ho, a, a, a, a, et qui me semblent autant d'enterrements? Là, de ces petits airs qu'on chantait

---

1. *Toupiller :* tourner comme une toupie, tourner en rond; 2. *Filer le temps :* tirer le temps en longueur; dans la première rédaction, l'acte IV commençait ici. Le rideau tombait sur le départ des trois personnages vers la chambre au clavecin et il se relevait sur leur retour et les réflexions de Bartholo; 3. *Aria :* mot italien signifiant « morceau vocal ou instrumental ».

──────── **QUESTIONS** ────────

13. L'air de Rosine : caractérisez le thème qu'il développe, son style et son rythme. En quoi cette bergerie reflète-t-elle le goût du temps? — D'après la note de Beaumarchais (page 107), montrez l'importance que celui-ci accordait à cette partie chantée; pourquoi avait-il contre lui les « rigoristes » du théâtre? — Le jeu de scène qui accompagne la chanson : quel est l'élément comique qui empêche l'épisode de tourner à la comédie sentimentale? — Quel a été l'espoir, puis la déception du spectateur?

dans ma jeunesse, et que chacun retenait facilement? J'en savais autrefois... Par exemple...

(Pendant la ritournelle[1], il cherche en se grattant la tête, et chante en faisant claquer ses pouces, et dansant des genoux comme les vieillards.)

150   Veux-tu, ma Rosinette,
                     Faire emplette
                 Du roi des maris?...

(Au Comte, en riant.) Il y a Fanchonnette dans la chanson; mais j'y ai substitué Rosinette pour la lui rendre plus agréable,
155 et la faire cadrer aux circonstances. Ah, ah, ah, ah! Fort bien! pas vrai?

LE COMTE, *riant.* — Ah, ah, ah! Oui, tout au mieux. **(14) (15)**

---

1. *Ritournelle :* court intermède interprété par les instruments entre deux couplets chantés, ou à la fin de la chanson.

──────── **QUESTIONS** ────────

● 14. L'aspect caricatural de Bartholo : pourquoi Beaumarchais insiste-t-il sur sa sénilité à cet endroit, beaucoup plus qu'ailleurs? — Qu'est-ce qui peut expliquer ce moment de détente, où le vieillard se laisse aller à la confidence et à la gaieté? Est-il toujours aussi odieux? — Les goûts de Bartholo : rapprochez ce passage de la scène III de l'acte premier (page 58, lignes 14-17). Comparez aussi Bartholo à Monsieur Jourdain (*le Bourgeois gentilhomme*, acte premier, scène II) chantant : *Je croyais Jeanneton...* Est-ce seulement à cause de son âge que Bartholo n'apprécie pas les « bergeries »? — Quels peuvent être les sentiments de Rosine au cours de cette fin de scène?

■ 15. SUR L'ENSEMBLE DE LA SCÈNE IV. — Le comique de situation : est-il très original de nous montrer deux amants communiquer par des mots à double entente en présence du jaloux dupé? Quelles variations Beaumarchais a-t-il créées ici sur ce thème?

     — D'où naissent les complications qui, dans la première partie de la scène, remettent tout en question, avant même que le jeu ne soit commencé?

     — Comment se complète le portrait de Bartholo? Son attitude à l'égard de Rosine, alors qu'il a dans sa poche (se rappeler la scène II) la lettre qui la compromet : sa sollicitude est-elle hypocrite ou exprime-t-elle une joie secrète à l'idée de triompher? Pourquoi pousser jusqu'au grotesque les traits de sa sénilité à la fin de la scène? En quoi Bartholo rappelle-t-il ici les vieillards amoureux de la comédie italienne?

     — Le progrès de l'action : cette nouvelle entrevue de Rosine et du Comte est-elle jusqu'ici très encourageante pour les jeunes amoureux? Qui peut faire progresser l'action?

Scène V. — FIGARO *dans le fond*, ROSINE, BARTHOLO, LE COMTE.

BARTHOLO *chante*. —

Veux-tu, ma Rosinette,
Faire emplette
Du roi des maris?
Je ne suis point Tircis[1];
5   Mais la nuit, dans l'ombre,
Je vaux encore mon prix;
Et quand il fait sombre
Les plus beaux chats sont gris.

(Il répète la reprise en dansant; Figaro, derrière lui, imite ses mouvements.)

Je ne suis point Tircis.

10   *(Apercevant Figaro.)* Ah! entrez, monsieur le barbier; avancez; vous êtes charmant!

FIGARO *salue*. — Monsieur, il est vrai que ma mère me l'a dit autrefois; mais je suis un peu déformé depuis ce temps-là[2]. *(A part, au Comte.)* Bravo, monseigneur! **(16)**

(Pendant toute cette scène, le Comte fait ce qu'il peut pour parler à Rosine; mais l'œil inquiet et vigilant du tuteur l'en empêche toujours, ce qui forme un jeu muet de tous les acteurs étrangers au débat du docteur et de Figaro.)

15   BARTHOLO. — Venez-vous purger encore, saigner, droguer, mettre sur le grabat toute ma maison?

FIGARO. — Monsieur, il n'est pas tous les jours fête; mais, sans compter les soins quotidiens, monsieur a pu voir que, lorsqu'ils en ont besoin, mon zèle n'attend pas qu'on lui 20 commande...

BARTHOLO. — Votre zèle n'attend pas! Que direz-vous, monsieur le zélé, à ce malheureux qui bâille et dort tout éveillé?

---

1. *Tircis* : berger de Virgile (7ᵉ églogue); 2. Sur l'âge que peut avoir Figaro, voir page 70, note 2.

——— **QUESTIONS** ———

● 16. L'entrée de Figaro était-elle attendue? Le sentiment du spectateur à ce moment. — Discutez le commentaire que Beaumarchais fait de la première réplique de Figaro dans sa *Lettre modérée* (page 38. ligne 444).

et à l'autre qui, depuis trois heures, éternue à se faire sauter le crâne et jaillir la cervelle! que leur direz-vous?

25   FIGARO. — Ce que je leur dirai?

BARTHOLO. — Oui!

FIGARO. — Je leur dirai... Eh, parbleu! je dirai à celui qui éternue : *Dieu vous bénisse!* et : *Va te coucher* à celui qui bâille. Ce n'est pas cela, monsieur, qui grossira le mémoire[1].

30   BARTHOLO. — Vraiment non; mais c'est la saignée et les médicaments qui le grossiraient, si je voulais y entendre. Est-ce par zèle aussi, que vous avez empaqueté les yeux de ma mule? et votre cataplasme lui rendra-t-il la vue?

FIGARO. — S'il ne lui rend pas la vue, ce n'est pas cela non 35 plus qui l'empêchera d'y voir.

BARTHOLO. — Que je le trouve sur le mémoire!... On n'est pas de cette extravagance-là!

FIGARO. — Ma foi, monsieur, les hommes n'ayant guère à choisir qu'entre la sottise et la folie, où je ne vois point de 40 profit je veux au moins du plaisir; et vive la joie! Qui sait si le monde durera encore trois semaines?

BARTHOLO. — Vous feriez bien mieux, monsieur le raisonneur, de me payer mes cent écus et les intérêts sans lanterner[2]; je vous en avertis.

45   FIGARO. — Doutez-vous de ma probité, monsieur? Vos cent écus! j'aimerais mieux vous les devoir toute ma vie que de les nier un seul instant. **(17)**

---

1. *Mémoire* : voir page 74, note 4; 2. *Lanterner* : hésiter, balancer (comme une lanterne).

QUESTIONS

17. La réaction de Bartholo dès qu'il voit Figaro : pourquoi sa méfiance et son hostilité se réveillent-elles? Cette attitude est-elle un présage heureux pour la suite de la scène? — L'insistance de Bartholo à réclamer son argent : est-ce avarice? ou simplement un moyen de mettre Figaro à la raison? — Cherchez dans l'acte II (scènes IV, VI, VII) les allusions aux méfaits qui irritent tellement Bartholo contre le Barbier; les ruses que Figaro a inventées pour servir le Comte ne risquent-elles pas de le desservir maintenant? Qu'en conclure sur la technique dramatique de Beaumarchais? — L'attitude de Figaro : se défend-il des reproches qu'on lui fait? Son insolence, ses maximes. Confirme-t-il ce que nous savions de lui d'après le premier acte?

BARTHOLO. — Et dites-moi un peu comment la petite Figaro a trouvé les bonbons que vous lui avez portés?

50 FIGARO. — Quels bonbons? Que voulez-vous dire?

BARTHOLO. — Oui, ces bonbons, dans ce cornet fait avec cette feuille de papier à lettre, ce matin.

FIGARO. — Diable emporte si...

ROSINE, *l'interrompant.* — Avez-vous eu soin au moins de 55 les lui donner de ma part, monsieur Figaro? Je vous l'avais recommandé.

FIGARO. — Ah! ah! les bonbons de ce matin? Que je suis bête, moi! j'avais perdu tout cela de vue... Oh! excellents, madame! admirables!

60 BARTHOLO. — Excellents! admirables! Oui, sans doute, monsieur le barbier, revenez sur vos pas[1]! Vous faites là un joli métier, monsieur! **(18)**

FIGARO. — Qu'est-ce qu'il a donc, monsieur?

BARTHOLO. — Et qui vous fera une belle réputation, monsieur!

65 FIGARO. — Je la soutiendrai, monsieur.

BARTHOLO. — Dites que vous la supporterez, monsieur.

FIGARO. — Comme il vous plaira, monsieur.

BARTHOLO. — Vous le prenez bien haut, monsieur! Sachez que quand je dispute[2] avec un fat, je ne lui cède jamais.

70 FIGARO *lui tourne le dos.* — Nous différons en cela, monsieur; moi, je lui cède toujours.

BARTHOLO. — Hein? qu'est-ce qu'il dit donc, bachelier?

FIGARO. — C'est que vous croyez avoir affaire à quelque barbier de village, et qui ne sait manier que le rasoir? Apprenez, 75 monsieur, que j'ai travaillé de la plume à Madrid, et que sans les envieux...

---

1. Réparez votre maladresse en rectifiant ce que vous avez dit (l'expression est évidemment ironique); 2. *Disputer :* discuter.

QUESTIONS

18. Figaro se défend-il aussi bien sur l' « affaire des bonbons » (voir acte II, scène XI) que sur les autres griefs? Pourquoi perd-il contenance pendant un instant? — L'intervention de Rosine n'est-elle pas une maladresse en face d'un Bartholo dont l'instinct policier est de nouveau en éveil?

BARTHOLO. — Eh! que n'y restiez-vous, sans venir ici changer de profession?

FIGARO. — On fait comme on peut. Mettez-vous à ma place.

80 BARTHOLO. — Me mettre à votre place! Ah! parbleu, je dirais de belles sottises! **(19)**

FIGARO. — Monsieur, vous ne commencez pas trop mal; je m'en rapporte à votre confrère qui est là rêvassant.

LE COMTE, *revenant à lui.* — Je... je ne suis pas le confrère
85 de monsieur.

FIGARO. — Non! Vous voyant ici à consulter[1], j'ai pensé que vous poursuiviez le même objet.

BARTHOLO, *en colère.* — Enfin, quel sujet vous amène? Y a-t-il quelque lettre à remettre encore ce soir à madame?
90 Parlez, faut-il que je me retire? **(20)**

FIGARO. — Comme vous rudoyez le pauvre monde! Eh! parbleu, monsieur, je viens vous raser, voilà tout : n'est-ce pas aujourd'hui votre jour?

BARTHOLO. — Vous reviendrez tantôt.

95 FIGARO. — Ah! oui, revenir! Toute la garnison prend médecine[2] demain matin, j'en ai obtenu l'entreprise par mes pro-

---

1. *Consulter* : délibérer. C'est l'usage des médecins de prendre conseil les uns des autres pour résoudre des cas graves; mais *consulter* est pris ici, semble-t-il, à double sens, car il signifie aussi « délibérer avec soi-même, réfléchir », et le Comte était en train de rêvasser. Cette équivoque se poursuit dans la fin de la phrase : l'*objet* que poursuivent Bartholo et le Comte, ce n'est évidemment pas la médecine, mais l'amour de Rosine; 2. *Prendre médecine* : prendre une purge.

──────── **QUESTIONS** ────────

19. Sur quel terrain Figaro entraîne-t-il Bartholo pour détourner ses soupçons et aussi éloigner son attention de Rosine et du Comte? Y réussit-il? A quelle réplique voyons-nous que Bartholo ne quitte pas des yeux le Comte? — Le jeu comique des répliques alternées et symétriques; faites une comparaison avec la querelle de Célimène et d'Arsinoé dans le *Misanthrope* (acte III, scène IV). Le rythme de cette altercation : qui prend l'avantage à chaque réplique? Bartholo n'a-t-il tout de même pas la satisfaction d'avoir le dernier mot? — Après *changer de profession,* la version en cinq actes comportait encore un long dialogue où Figaro expliquait ses déboires d'écrivain et chantait une ariette sur son métier de barbier; l'allégement de la scène vous paraît-il heureux?

20. La transition : comment Beaumarchais passe-t-il maintenant à l'épisode attendu? Bartholo est-il dans un état d'esprit favorable?

tections. Jugez donc comme j'ai du temps à perdre? Monsieur passe-t-il chez lui?

BARTHOLO. — Non, monsieur ne passe point chez lui. Eh
100 mais... qui empêche qu'on ne me rase ici?

ROSINE, *avec dédain.* — Vous êtes honnête[1]! Et pourquoi pas dans mon appartement?

BARTHOLO. — Tu te fâches! Pardon, mon enfant, tu vas achever de prendre ta leçon; c'est pour ne pas perdre un ins-
105 tant le plaisir de t'entendre.

FIGARO, *bas, au Comte.* — On ne le tirera pas d'ici! *(Haut.)* Allons, L'Éveillé? La Jeunesse? le bassin, de l'eau, tout ce qu'il faut à monsieur.

BARTHOLO. — Sans doute, appelez-les! Fatigués, harassés,
110 moulus de votre façon[2], n'a-t-il pas fallu les faire coucher!

FIGARO. — Eh bien! j'irai tout chercher. N'est-ce pas dans votre chambre? *(Bas, au Comte.)* Je vais l'attirer dehors.

BARTHOLO *détache son trousseau de clefs et dit par réflexion.* — Non, non, j'y vais moi-même. *(Bas, au Comte, en s'en allant.)*
115 Ayez les yeux sur eux, je vous prie. **(21) (22)**

---

1. *Honnête* : poli; emploi ironique; 2. *De votre façon* : par votre traitement.

QUESTIONS
---

21. Le plan de Figaro se réalise-t-il comme il l'avait prévu? Est-ce la première fois que Bartholo fait ainsi échec à ses adversaires, tout en étant cependant leur dupe? Quelle nouvelle ruse doit imaginer le Barbier?

22. Sur l'ensemble de la scène v. — A-t-on déjà vu, depuis le début de la pièce, Bartholo et Figaro en présence? Le moment est-il bien choisi pour les opposer?

— Relevez tous les traits qui révèlent le contraste entre les deux personnages : quels sont ceux qui tiennent à leur condition (le bourgeois, l'homme du peuple), à leur caractère, à leur conception de la vie?

— Comparez de ce point de vue l'intérêt de cette scène à celui des scènes ii et iv du premier acte.

— Comment peut-on expliquer que Bartholo continue à garder à son service un aide qui lui joue de si mauvais tours et dont il se défie tant?

Scène VI. — FIGARO, LE COMTE, ROSINE.

FIGARO. — Ah! que nous l'avons manqué belle! il allait me donner le trousseau. La clef de la jalousie[1] n'y est-elle pas?

ROSINE. — C'est la plus neuve de toutes.

Scène VII. — BARTHOLO, FIGARO, LE COMTE, ROSINE.

BARTHOLO, *revenant.* — *(A part.)* Bon! je ne sais ce que je fais, de laisser ici ce maudit barbier. *(A Figaro.)* Tenez. *(Il lui donne le trousseau.)* Dans mon cabinet, sous mon bureau; mais ne touchez à rien.

5 FIGARO. — La peste! il y ferait bon, méfiant comme vous êtes! *(A part, en s'en allant.)* Voyez comme le ciel protège l'innocence!

Scène VIII. — BARTHOLO, LE COMTE, ROSINE.

BARTHOLO, *bas, au Comte.* — C'est le drôle qui a porté la lettre au comte.

LE COMTE, *bas.* — Il m'a l'air d'un fripon.

BARTHOLO. — Il ne m'attrapera plus.

5 LE COMTE. — Je crois qu'à cet égard le plus fort est fait.

BARTHOLO. — Tout considéré, j'ai pensé qu'il était plus prudent de l'envoyer dans ma chambre que de le laisser avec elle.

LE COMTE. — Ils n'auraient pas dit un mot que je n'eusse 10 été en tiers.

ROSINE. — Il est bien poli, messieurs, de parler bas sans cesse. Et ma leçon?

(Ici, l'on entend un bruit, comme de vaisselle renversée.)

BARTHOLO, *criant.* — Qu'est-ce que j'entends donc? Le cruel barbier aura tout laissé tomber dans l'escalier, et les plus 15 belles pièces de mon nécessaire[2]!... *(Il court dehors.)*

---

1. *La jalousie* fermée par Bartholo à la fin de la scène II de l'acte premier; 2. *Le nécessaire* : le bassin et les autres ustensiles utilisés pour raser Bartholo; un riche bourgeois comme lui a sans doute un nécessaire de luxe en porcelaine.

BAZILE (Jean Meyer) ET BARTHOLO (Louis Seigner)
À LA COMÉDIE-FRANÇAISE

SCÈNE IX. — LE COMTE, ROSINE.

LE COMTE. — Profitons du moment que l'intelligence de Figaro nous ménage. Accordez-moi ce soir, je vous en conjure, madame, un moment d'entretien indispensable pour vous soustraire à l'esclavage où vous allier tomber.

5 ROSINE. — Ah! Lindor!

LE COMTE. — Je puis monter à votre jalousie; et quant à la lettre que j'ai reçue de vous ce matin, je me suis vu forcé...

SCÈNE X. — ROSINE, BARTHOLO, FIGARO,
LE COMTE.

BARTHOLO. — Je ne m'étais pas trompé; tout est brisé, fracassé.

FIGARO. — Voyez le grand malheur pour tant de train! On ne voit goutte sur l'escalier. *(Il montre la clef au Comte.)* Moi,
5 en montant, j'ai accroché une clef...

BARTHOLO. — On prend garde à ce qu'on fait. Accrocher une clef! L'habile homme!

FIGARO. — Ma foi, monsieur, cherchez-en un plus subtil. **(23)**

SCÈNE XI. — LES ACTEURS PRÉCÉDENTS, **DON BAZILE.**

ROSINE, *effrayée, à part.* — Don Bazile!...

———— **QUESTIONS** ————

23. SUR LES SCÈNES VI, VII, VIII, IX, X. — La précision avec laquelle est monté le mécanisme de l'action; le rythme des scènes : les entrées et les sorties de personnages.

— Pourquoi Bartholo préfère-t-il en fin de compte confier les clefs à Figaro? Par quel moyen Figaro réussit-il à attirer dehors le vieillard? Rappelez d'autres épisodes (aux actes premier et II) où Bartholo, commettant l'imprudence de s'éloigner un instant, a déjà été dupé; peut-il toutefois l'être complètement?

— Le bilan de la manœuvre de Figaro : quel avantage le Comte et Rosine ont-ils acquis? Quelle confidence importante le Comte n'a-t-il cependant pas le temps de faire à Rosine?

LE COMTE, *à part*. — Juste ciel!

FIGARO, *à part*. — C'est le diable! (24)

BARTHOLO *va au-devant de lui*. — Ah! Bazile, mon ami,
5 soyez le bien rétabli. Votre accident n'a donc point eu de
suites? En vérité le seigneur Alonzo m'avait fort effrayé sur
votre état; demandez-lui, je partais pour vous aller voir, et
s'il ne m'avait point retenu...

BAZILE, *étonné*. — Le seigneur Alonzo?

10 FIGARO *frappe du pied*. — Eh quoi! toujours des accrocs?
Deux heures pour une méchante barbe... Chienne de pratique!

BAZILE, *regardant tout le monde*. — Me ferez-vous bien le
plaisir de me dire, messieurs...?

FIGARO. — Vous lui parlerez quand je serai parti.

15 BAZILE. — Mais encore faudrait-il...

LE COMTE. — Il faudrait vous taire, Bazile. Croyez-vous
apprendre à monsieur quelque chose qu'il ignore? Je lui ai
raconté que vous m'aviez chargé de venir donner une leçon
de musique à votre place.

20 BAZILE, *plus étonné*. — La leçon de musique!... Alonzo!...

ROSINE, *à part, à Bazile*. — Eh! taisez-vous.

BAZILE. — Elle aussi!

LE COMTE, *bas, à Bartholo*. — Dites-lui donc tout bas que
nous en sommes convenus.

25 BARTHOLO, *à Basile, à part*. — N'allez pas nous démentir,
Bazile, en disant qu'il n'est pas votre élève, vous gâteriez tout.

BAZILE. — Ah! ah!

———— QUESTIONS ————

24. L'arrivée de Bazile : pouvait-on s'attendre à sa visite après ce
qu'il avait dit à Bartholo à la fin de la scène VIII de l'acte II? Comment
les calculs de Figaro, qui avait entendu cette conversation, se trouvent-ils
déjoués? — Analysez avec précision quel peut être l'état d'esprit des
divers personnages à cette entrée de Bazile; quels peuvent être en
particulier les deux sentiments qui se partagent l'esprit de Bartholo?
— La réaction du spectateur devant ce coup de théâtre.

BARTHOLO, *haut*. — En vérité, Bazile, on n'a pas plus de talent que votre élève. (25)

30   BAZILE, *stupéfait*. — Que mon élève!... *(Bas.)* Je venais pour vous dire que le comte est déménagé.

BARTHOLO, *bas*. — Je le sais, taisez-vous.

BAZILE, *bas*. — Qui vous l'a dit?

BARTHOLO, *bas*. — Lui, apparemment.

35   LE COMTE, *bas*. — Moi, sans doute : écoutez seulement.

ROSINE, *bas, à Bazile*. — Est-il si difficile de vous taire?

FIGARO, *bas, à Bazile*. — Hum! Grand escogriffe! Il est sourd!

BAZILE, *à part*. — Qui diable est-ce donc qu'on trompe ici? Tout le monde est dans le secret! (26)

40   BARTHOLO, *haut*. — Eh bien, Bazile, votre homme de loi?

FIGARO. — Vous avez toute la soirée pour parler de l'homme de loi.

BARTHOLO, *à Bazile*. — Un mot : dites-moi seulement si vous êtes content de l'homme de loi?

45   BAZILE, *effrayé*. — De l'homme de loi?

LE COMTE, *souriant*. — Vous ne l'avez pas vu, l'homme de loi?

BAZILE, *impatienté*. — Eh! non, je ne l'ai pas vu, l'homme de loi. (27)

─────── ■ QUESTIONS ───────────────

25. La première difficulté : que suffirait-il pour que la supercherie du Comte soit découverte dès le début? — Les moyens employés par les trois complices pour faire face à la situation : Rosine et Figaro peuvent-ils agir très efficacement sans susciter les soupçons de Bartholo? — Le rôle du Comte : pourquoi est-il le seul à pouvoir sauver la situation? Le ton sur lequel il parle à Basile (lignes 16-19) est-il celui d'un élève s'adressant à son maître? Les risques et les avantages de cette attitude.

26. Comprend-on maintenant pourquoi Bazile est venu inopinément voir Bartholo? Quelle nouvelle importante avait-il à annoncer? Pourquoi Bartholo est-il le premier maintenant à lui dire de se taire? — Importance de la dernière réflexion de Bazile (lignes 38-39) : cherche-t-il à éclaircir la situation? D'où vient sa prudence?

27. Pourquoi Bartholo songe-t-il maintenant à l'homme de loi (revoir la scène II de l'acte III, ligne 102)? Cette question ne risque-t-elle pas de démasquer le faux Alonzo? — L'effort du Comte pour faire entrer Bazile dans le jeu est-il couronné de succès? La manière inespérée dont se résout cette dangereuse épreuve : sur quel sentiment le Comte joue-t-il? — Le comique de mots : à quelle intention correspond la répétition d'*homme de loi* dans la bouche de chaque interlocuteur?

LE COMTE, *à Bartholo, à part.* — Voulez-vous donc qu'il
50 s'explique ici devant elle? Renvoyez-le.

BARTHOLO, *bas, au Comte.* — Vous avez raison. *(A Bazile.)*
Mais quel mal vous a donc pris si subitement?

BAZILE, *en colère.* — Je ne vous entends[1] pas.

LE COMTE *lui met à part une bourse dans la main.* — Oui,
55 monsieur vous demande ce que vous venez faire ici, dans l'état
d'indisposition où vous êtes?

FIGARO. — Il est pâle comme un mort!

BAZILE. — Ah! je comprends...

LE COMTE. — Allez vous coucher, mon cher Bazile : vous
60 n'êtes pas bien, et vous nous faites mourir de frayeur. Allez
vous coucher.

FIGARO. — Il a la physionomie toute renversée. Allez vous
coucher.

BARTHOLO. — D'honneur[2], il sent la fièvre d'une lieue. Allez
65 vous coucher.

ROSINE. — Pourquoi êtes-vous donc sorti? On dit que cela
se gagne[3]. Allez vous coucher.

BAZILE, *au dernier étonnement.* — Que j'aille me coucher!

TOUS LES ACTEURS ENSEMBLE. — Eh! sans doute. (28)

70 BAZILE, *les regardant tous.* — En effet, messieurs, je crois
que je ne ferai pas mal de me retirer; je sens que je ne suis
pas ici dans mon assiette ordinaire.

---

1. *Entendre :* voir page 94, note 1; **2.** Parole *d'honneur ;* **3.** Que cela est contagieux.

━━━━━━ **QUESTIONS** ━━━━━━━━━━━━━━━━━━━━━

28. Tout en se rangeant à l'avis du Comte (ligne 51), Bartholo ne
risque-t-il pas de faire rebondir la situation ? — La colère de Bazile est-elle
habilement exploitée par le Comte? Par quel moyen gagne-t-il la partie? — L'effet comique de répétition *(allez vous coucher);* pourquoi
Bartholo médecin est-il ici doublement ridicule? — Comment s'explique
l'étonnement de Bazile (ligne 68), qui n'a pourtant pas été surpris de
recevoir la bourse?

BARTHOLO. — A demain, toujours : si vous êtes mieux.

LE COMTE. — Bazile, je serai chez vous de très bonne heure.

75   FIGARO. — Croyez-moi, tenez-vous bien chaudement dans votre lit.

ROSINE. — Bonsoir, monsieur Bazile.

BAZILE, *à part.* — Diable emporte si j'y comprends rien ! et sans cette bourse...

80   TOUS. — Bonsoir, Bazile, bonsoir.

BAZILE, *en s'en allant.* — Eh bien ! bonsoir donc, bonsoir. **(29) (30)** *(Ils l'accompagnent tous en riant.)*

SCÈNE XII. — LES ACTEURS PRÉCÉDENTS, *excepté* BAZILE.

BARTHOLO, *d'un ton important.* — Cet homme-là n'est pas bien du tout.

ROSINE. — Il a les yeux égarés.

LE COMTE. — Le grand air l'aura saisi.

───────── QUESTIONS ─────────

29. Le rythme de cette fin de scène : à quel sentiment correspond pour tous ce chœur de *bonsoir?* — Montrez la nuance apportée par chaque personnage au salut qu'il adresse à Bazile.

30. SUR L'ENSEMBLE DE LA SCÈNE XI. — Appréciez le moment où Beaumarchais fait apparaître Bazile. Pourquoi cette scène a-t-elle « paru si neuve au théâtre et a tant réjoui les spectateurs », comme le dit Beaumarchais dans sa *Lettre modérée* (voir page 38, lignes 414-416)?

— La marche de l'action se trouve-t-elle finalement modifiée par l'intervention de Bazile?

— Selon M. Schérer, « il y a deux secrets, un vrai et un faux, et c'est Bartholo qui est trompé, tout en croyant participer à une tromperie dont la victime serait Rosine ». Inspirez-vous de ce propos pour expliquer le mécanisme comique de cette scène.

— Qui est le meneur de jeu? Comment le faux Alonzo profite-t-il de son imposture alors qu'il risquait d'en être victime? Le rôle de Figaro dans cette scène.

— Le personnage de Bazile : sa duplicité, sa vénalité. Devient-il sympathique parce qu'il rend service à Rosine et au Comte? A-t-il compris exactement la situation devant laquelle il se trouvait? Est-il seulement le professionnel de la calomnie qu'on a vu à l'acte II?

5   FIGARO. — Avez-vous vu comme il parlait tout seul? Ce que c'est que de nous! *(A Bartholo.)* Ah çà, vous décidez-vous, cette fois? *(Il lui pousse un fauteuil très loin du Comte, et lui présente le linge.)*

10   LE COMTE. — Avant de finir, madame, je dois vous dire un mot essentiel au progrès de l'art que j'ai l'honneur de vous enseigner. *(Il s'approche, et lui parle bas à l'oreille.)*

BARTHOLO, *à Figaro.* — Eh mais! il semble que vous le fassiez exprès de vous approcher, et de vous mettre devant moi pour m'empêcher de voir...

15   LE COMTE, *bas, à Rosine.* — Nous avons la clef de la jalousie, et nous serons ici à minuit.

FIGARO *passe le linge au cou de Bartholo.* — Quoi voir? Si c'était une leçon de danse, on vous passerait d'y regarder; mais du chant!... ahi, ahi.

20   BARTHOLO. — Qu'est-ce que c'est?

FIGARO. — Je ne sais ce qui m'est entré dans l'œil. *(Il rapproche sa tête.)*

BARTHOLO. — Ne frottez donc pas.

FIGARO. — C'est le gauche. Voudriez-vous me faire le plaisir
25   d'y souffler un peu fort? **(31)**

(Bartholo prend la tête de Figaro, regarde par-dessus, le pousse violemment, et va derrière les amants écouter leur conversation.)

LE COMTE, *bas, à Rosine.* — Et quant à votre lettre, je me suis trouvé tantôt dans un tel embarras pour rester ici...

FIGARO, *de loin, pour avertir.* — Hem! hem...!

LE COMTE. — Désolé de voir encore mon déguisement inutile.

30   BARTHOLO, *passant entre deux.* — Votre déguisement inutile.

ROSINE, *effrayée.* — Ah!...

─────── **QUESTIONS** ───────

31. A quel point de l'action se retrouve-t-on en ce début de scène? Importance de la réplique du Comte pour « faire le point » de la situation (ligne 15). — Les moyens qu'emploie Figaro pour continuer à servir le Comte et Rosine; Bartholo est-il dupe?

BARTHOLO. — Fort bien, madame, ne vous gênez pas. Comment! sous mes yeux mêmes, en ma présence, on m'ose outrager de la sorte!

35   LE COMTE. — Qu'avez-vous donc, seigneur?

BARTHOLO. — Perfide Alonzo! **(32)**

LE COMTE. — Seigneur Bartholo, si vous avez souvent des lubies comme celle dont le hasard me rend témoin, je ne suis plus étonné de l'éloignement que mademoiselle a pour devenir
40   votre femme.

ROSINE. — Sa femme! Moi! Passer mes jours auprès d'un vieux jaloux, qui, pour tout bonheur, offre à ma jeunesse un esclavage abominable!

BARTHOLO. — Ah! qu'est-ce que j'entends!

45   ROSINE. — Oui, je le dis tout haut : je donnerai mon cœur et ma main à celui qui pourra m'arracher de cette horrible prison, où ma personne et mon bien sont retenus contre toute justice. *(Rosine sort.)* **(33) (34)**

SCÈNE XIII. — BARTHOLO, FIGARO, LE COMTE.

BARTHOLO. — La colère me suffoque.

LE COMTE. — En effet, seigneur, il est difficile qu'une jeune femme...

─────── **QUESTIONS** ───────

32. Le but auquel le Comte tente de parvenir, depuis le début de l'acte, est-il sur le point d'être atteint? L'impression du spectateur en voyant le Comte s'engager dans une longue explication sur la remise de la lettre, au moment où Bartholo est derrière lui. — Pourquoi faut-il que Bartholo intervienne juste au moment où il le fait? — Dans quelle mesure doit-il comprendre qu'il a été dupé?

33. Comparez l'attitude de Rosine à celle de la scène IV (lignes 51-53) et de la scène XV (lignes 52-54) de l'acte II. Montrez que sa révolte, tout en étant sincère, sait toujours fort bien s'adapter aux circonstances.

34. SUR L'ENSEMBLE DE LA SCÈNE XII. — L'effet de contraste entre cette scène et la précédente : comment se fait-il que les trois complices, si habiles pour « neutraliser » Bazile, se fassent surprendre si facilement par Bartholo seul? D'où vient leur imprudence?

— Du plan élaboré par le Comte et par Figaro tout au long de l'acte. quelle part est réalisée? Laquelle ne l'est pas?

FIGARO. — Oui, une jeune femme et un grand âge, voilà ce
5 qui trouble la tête d'un vieillard.

BARTHOLO. — Comment! lorsque je les prends sur le fait!
Maudit barbier! il me prend des envies...

FIGARO. — Je me retire, il est fou.

LE COMTE. — Et moi aussi; d'honneur, il est fou.

10 FIGARO. — Il est fou, il est fou... *(Ils sortent.)* **(35)**

Scène XIV. — BARTHOLO, *seul, les poursuit.*

Je suis fou! Infâmes suborneurs, émissaires du diable, dont
vous faites ici l'office, et qui puisse vous emporter tous... je
suis fou!... Je les ai vus comme je vois ce pupitre... et me
soutenir effrontément...! Ah! il n'y a que Bazile qui puisse
5 m'expliquer ceci. Oui, envoyons-le chercher. Holà, quelqu'un...
Ah! j'oublie que je n'ai personne... Un voisin, le premier
venu, n'importe. Il y a de quoi perdre l'esprit! Il y a de quoi
perdre l'esprit! **(36) (37)**

────── **QUESTIONS** ──────

35. SUR LA SCÈNE XIII. — L'habileté de Beaumarchais à dégager le
Comte et Figaro de la situation où ils se sont mis; leur départ ressemble-
t-il à une fuite? Qui, une fois de plus, donne le ton? Pourquoi provoquer
Bartholo au lieu d'essayer de le calmer?

36. SUR LA SCÈNE XIV. — La colère de Bartholo : montrez que l'indignation n'obscurcit en rien sa lucidité.

— Comparez pour le rythme et le contenu ce monologue à celui
d'Harpagon à la fin du quatrième acte de *l'Avare :* ressemblances et
différences.

— Rapprochez ce monologue de celui qui ouvre ce troisième acte
(scène première); par quelles étapes successives sont passés les sentiments de Bartholo entre ces deux colères?

— Comparez cette fin d'acte à celles des deux premiers actes : l'utilisation dramatique du monologue.

37. SUR L'ENSEMBLE DE L'ACTE III. — La composition de cet acte :
sa structure très différente de celle de l'acte II. Démontrez qu'ici une
continuité parfaite ménage la progression de l'action, malgré les obstacles
qui surgissent sans cesse et sont chaque fois surmontés.

— Importance des scènes IV et XI.

— Le bilan de cet acte : le second déguisement du Comte lui a-t-il
apporté tous les avantages qu'il espérait? La clairvoyance de Bartholo
a-t-elle été mise en échec? Faut-il dire qu'on en revient à la même situation qu'à la fin de l'acte II?

Mlle Mézeray, une
des premières
interprètes du
rôle de Rosine.

(Acte III, scène IV.)

D'après les *Scènes de
théâtre* de Duplessis-
Bertaux (1747-1819).

Bibliothèque
de l'Arsenal.
Fonds Rondel.

Phot. Larousse.

UN HEUREUX
DÉNOUEMENT

Phot. Bernand.

ACTE IV

Le théâtre est obscur.

Scène première. — BARTHOLO, DON BAZILE
une lanterne de papier à la main.

BARTHOLO. — Comment, Bazile, vous ne le connaissez pas!
Ce que vous dites est-il possible?

BAZILE. — Vous m'interrogeriez cent fois, que je vous ferais
toujours la même réponse. S'il vous a remis la lettre de Rosine,
5 c'est sans doute un des émissaires du comte. Mais, à la magni-
ficence du présent qu'il m'a fait, il se pourrait que ce fût le
comte lui-même. **(1)**

BARTHOLO. — Quelle apparence? Mais, à propos de ce présent, eh! pourquoi l'avez-vous reçu?

10 BAZILE. — Vous aviez l'air d'accord; je n'y entendais rien;
et, dans les cas difficiles à juger, une bourse d'or me paraît
toujours un argument sans réplique. Et puis, comme dit le
proverbe, ce qui est bon à prendre...

BARTHOLO. — J'entends[1], est bon[2]...

15 BAZILE. — ... à garder.

BARTHOLO, *surpris*. — Ah! ah!

BAZILE. — Oui, j'ai arrangé comme cela plusieurs petits
proverbes avec des variations[3]. Mais allons au fait : à quoi
vous arrêtez-vous?

20 BARTHOLO. — En ma place, Bazile, ne feriez-vous pas les
derniers efforts pour la posséder?

---

1. *Entendre* : page 94, note 1 ; **2.** Bartholo va terminer le proverbe par une formule
conforme à la morale courante : *est bon à rendre* ; **3.** *Variations* : en musique, morceaux qui brodent sur un même thème. Bazile garde le langage de sa profession.

———— QUESTIONS ————

1. A quel moment de la journée est-on arrivé? Combien de temps
s'est déroulé depuis le début de l'action (voir acte premier, scène première)? — Cette entrevue Bazile-Bartholo était-elle prévue (voir acte III,
scène xiv)? — Les déductions de Bazile : a-t-il réellement un doute
(*il se pourrait que...*) sur l'identité du faux Alonzo? — Que reste-t-il
finalement de toutes les ruses imaginées par le Comte à l'acte III?

BAZILE. — Ma foi non, docteur. En toute espèce de biens, posséder est peu de chose; c'est jouir, qui rend heureux : mon avis est qu'épouser une femme dont on n'est point aimé,
25 c'est s'exposer...

BARTHOLO. — Vous craindriez les accidents?

BAZILE. — Hé, hé, monsieur... on en voit beaucoup cette année. Je ne ferais point violence à son cœur. **(2)**

BARTHOLO. — Votre valet[1], Bazile. Il vaut mieux qu'elle
30 pleure de m'avoir, que moi je meure de ne l'avoir pas. **(3)**

BAZILE. — Il y va de la vie? Épousez, docteur, épousez.

BARTHOLO. — Aussi ferai-je, et cette nuit même.

BAZILE. — Adieu donc... Souvenez-vous, en parlant à la pupille, de les rendre tous plus noirs que l'enfer.

35 BARTHOLO. — Vous avez raison.

BAZILE. — La calomnie, docteur, la calomnie! Il faut toujours en venir là.

BARTHOLO. — Voici la lettre de Rosine, que cet Alonzo m'a remise; et il m'a montré, sans le vouloir, l'usage que j'en
40 dois faire auprès d'elle.

BAZILE. — Adieu : nous serons tous ici à quatre heures[2].

BARTHOLO. — Pourquoi pas plus tôt?

BAZILE. — Impossible; le notaire est retenu.

BARTHOLO. — Pour un mariage?

45 BAZILE. — Oui, chez le barbier Figaro; c'est sa nièce qu'il marie.

---

1. *Je suis votre valet* : formule de politesse dite ironiquement pour prendre congé de quelqu'un ou pour lui signifier un refus. Bartholo refuse ici de suivre Bazile dans son raisonnement; 2. Du matin.

──────── **QUESTIONS** ────────

2. Bazile moraliste : relevez les expressions qui dénotent son cynisme. — Pourquoi a-t-il cependant le bon sens de déconseiller à Bartholo le mariage? Est-on sûr d'ailleurs que ce soit le seul bon sens qui le fasse parler ainsi? — Le ton de Bazile s'adressant à Bartholo.
3. Le sentiment de l'amour chez Bartholo : son cynisme égoïste est-il compensé par la sincérité de sa passion? Est-il sincère quand il affirme qu'il mourrait d'amour? Aurait-il la même obstination s'il n'avait la certitude de vaincre son rival? — Comparez Bartholo à Arnolphe amoureux.

BARTHOLO. — Sa nièce? il n'en a pas.

BAZILE. — Voilà ce qu'ils ont dit au notaire.

BARTHOLO. — Ce drôle est du complot : que diable!...

50 BAZILE. — Est-ce que vous penseriez...?

BARTHOLO. — Ma foi, ces gens-là sont si alertes! Tenez, mon ami, je ne suis pas tranquille. Retournez chez le notaire. Qu'il vienne ici sur-le-champ avec vous.

BAZILE. — Il pleut, il fait un temps du diable; mais rien
55 ne m'arrête pour vous servir. Que faites-vous donc?

BARTHOLO. — Je vous reconduis : n'ont-ils pas fait estropier tout mon monde par ce Figaro! Je suis seul ici.

BAZILE. — J'ai ma lanterne.

BARTHOLO. — Tenez, Bazile, voilà mon passe-partout. Je
60 vous attends, je veille; et vienne qui voudra, hors le notaire et vous, personne n'entrera de la nuit.

BAZILE. — Avec ces précautions, vous êtes sûr de votre fait. (4) (5)

SCÈNE II. — ROSINE, *seule, sortant de sa chambre.*

Il me semblait avoir entendu parler. Il est minuit sonné; Lindor ne vient point! Ce mauvais temps même était propre

———————— QUESTIONS ————————

4. Le plan de Bazile et de Bartholo : notez tous les détails destinés à mettre au point la marche des événements. — L'esprit de décision de Bartholo : importance sur ce point des répliques des lignes 52-53 et 59-61. L'accélération de l'action. — La part de Bazile à l'élaboration et à l'exécution du plan : Bartholo peut-il avoir l'impression d'une aide efficace? Relevez pourtant l'équivoque de certaines répliques de Bazile (lignes 41, 54-55, 62).

5. SUR L'ENSEMBLE DE LA SCÈNE PREMIÈRE. — Utilité de cette scène pour l'action : le progrès rapide des décisions prises par Bartholo. Quelle est la seule chance qui reste au Comte s'il veut l'emporter sur Bartholo? Le sentiment du spectateur devant cette course de vitesse entre les deux partis en présence.

— Pourquoi avoir imaginé une nuit d'orage et de pluie? Montrez qu'il s'agit moins d'ajouter du pittoresque que de contribuer à la vraisemblance dramatique.

à le favoriser. Sûr de ne rencontrer personne... Ah! Lindor!
si vous m'aviez trompée!... Quel bruit entends-je?... Dieux!
5 c'est mon tuteur. Rentrons. **(6)**

Scène III. — ROSINE, BARTHOLO.

BARTHOLO, *tenant de la lumière*. — Ah! Rosine, puisque vous
n'êtes pas encore rentrée dans votre appartement...

ROSINE. — Je vais me retirer.

BARTHOLO. — Par le temps affreux qu'il fait, vous ne repo-
5 serez pas, et j'ai des choses très pressées à vous dire.

ROSINE. — Que me voulez-vous, monsieur? N'est-ce donc
pas assez d'être tourmentée le jour?

BARTHOLO. — Rosine, écoutez-moi.

ROSINE. — Demain je vous entendrai.

10 BARTHOLO. — Un moment, de grâce!

ROSINE, *à part*. — S'il allait venir! **(7)**

BARTHOLO *lui montre sa lettre*. — Connaissez-vous cette
lettre?

ROSINE *la reconnaît*. — Ah! grands dieux!...

15 BARTHOLO. — Mon intention, Rosine, n'est point de vous
faire de reproches : à votre âge, on peut s'égarer; mais je suis
votre ami; écoutez-moi.

ROSINE. — Je n'en puis plus.

────── **QUESTIONS** ──────

6. Sur la scène II. — Les renseignements utiles à l'action; comment
l'impatience de Rosine confirme-t-elle celle du spectateur? L'impression
quand apparaît Bartholo.
— Utilité psychologique : Rosine ne commence-t-elle pas à avoir des
doutes? Dans quel état d'esprit se trouve-t-elle à l'arrivée de son tuteur?

7. Le comique de situation : comment le spectateur, qui sait les sentiments réels des deux personnages, apprécie-t-il la feinte douceur de
Bartholo et la fausse indignation de Rosine? — Est-on étonné que Bartholo, si souvent tyrannique et coléreux, joue si bien la comédie de la
prévenance et de l'humilité? A quelle occasion a-t-on pu déjà apprécier
ses dons de dissimulation?

BARTHOLO. — Cette lettre que vous avez écrite au comte
20 Almaviva!...

ROSINE, *étonnée*. — Au comte Almaviva!

BARTHOLO. — Voyez quel homme affreux est ce comte :
aussitôt qu'il l'a reçue, il en a fait trophée[1]. Je la tiens d'une
femme à qui il l'a sacrifiée. **(8)**

25 ROSINE. — Le comte Almaviva!...

BARTHOLO. — Vous avez peine à vous persuader cette horreur.
L'inexpérience, Rosine, rend votre sexe confiant et crédule;
mais apprenez dans quel piège on vous attirait. Cette femme
m'a fait donner avis de tout, apparemment pour écarter une
30 rivale aussi dangereuse que vous. J'en frémis! le plus abominable complot entre Almaviva, Figaro et cet Alonzo, cet
élève supposé de Bazile, qui porte un autre nom et n'est que
le vil agent du comte, allait vous entraîner dans un abîme
dont rien n'eût pu vous tirer.

35 ROSINE, *accablée*. — Quelle horreur!... quoi, Lindor!... quoi,
ce jeune homme!...

BARTHOLO, *à part*. — Ah! c'est Lindor?

ROSINE. — C'est pour le comte Almaviva... C'est pour un
autre...

40 BARTHOLO. — Voilà ce qu'on m'a dit en me remettant votre
lettre. **(9)**

---

1. *Faire trophée de quelque chose :* le montrer comme un signe de victoire, à la
façon dont une armée victorieuse expose les armes prises à l'ennemi.

═══ QUESTIONS ═══

8. Est-il adroit de mettre brusquement Rosine en présence de la
« pièce à conviction »? Bartholo se pose-t-il pourtant en accusateur?
Comment se retrouve ici l'instinct policier qu'on a si bien vu à la
scène XI de l'acte II? — La surprise de Rosine (ligne 21) et la ruse de
Bartholo (lignes 23-24) : analysez tous les effets comiques accumulés
dans ces deux répliques. Pourquoi la méfiance de Rosine n'est-elle pas
mise en éveil par le nom d'Almaviva, qui lui est inconnu? Qui a ensei-
gné à Bartholo le mensonge qu'il emploie (voir acte III, scène II, lignes 78-
79)? Peut-il être sûr que sa manœuvre réussisse? Est-ce la première fois
que les ruses du Comte se retournent contre lui?

9. Le comble de l'imbroglio : est-il vraisemblable que Rosine et Bartholo passent tous deux à côté de la vérité, sans soupçonner que Lindor
et Almaviva sont le même homme? Pourquoi Bartholo a-t-il l'illusion
de découvrir enfin la vérité, tandis que Rosine, qui croyait savoir la
vérité, tombe dans l'erreur?

ROSINE, *outrée*. — Ah! quelle indignité!... Il en sera puni... Monsieur, vous avez désiré de m'épouser?

BARTHOLO. — Tu connais la vivacité de mes sentiments.

45 ROSINE. — S'il peut vous en rester encore, je suis à vous.

BARTHOLO. — Eh bien! le notaire viendra cette nuit même.

ROSINE. — Ce n'est pas tout. O ciel! suis-je assez humiliée!... Apprenez que dans peu le perfide ose entrer par cette jalousie dont ils ont eu l'art de vous dérober la clef.

50 BARTHOLO, *regardant au trousseau*. — Ah! les scélérats! Mon enfant, je ne te quitte plus.

ROSINE, *avec effroi*. — Ah, monsieur! et s'ils sont armés?

BARTHOLO. — Tu as raison : je perdrais ma vengeance. Monte chez Marceline : enferme-toi chez elle à double tour.
55 Je vais chercher main-forte, et l'attendre auprès de la maison. Arrêté comme voleur, nous[1] aurons le plaisir d'en être à la fois vengés et délivrés! Et compte que mon amour te dédommagera...

ROSINE, *au désespoir*. — Oubliez seulement mon erreur.
60 *(A part.)* Ah! je m'en punis assez! **(10)**

BARTHOLO, *s'en allant*. — Allons nous embusquer. A la fin, je la tiens. *(Il sort.)* **(11) (12)**

---

1. Quand il sera arrêté comme voleur, nous ... : tournure qui serait aujourd'hui incorrecte, le participe ne se rapportant pas au sujet de la proposition.

--- **QUESTIONS** ---

10. La réaction de Rosine est-elle conforme à son caractère? Est-ce le dépit ou la reconnaissance qui la pousse à s'en remettre entièrement à Bartholo? — Rosine a-t-elle cependant perdu tout espoir?

11. Le cri de victoire de Bartholo : pourquoi, prononcé après cette scène, rend-il Bartholo plus odieux que jamais?

12. SUR L'ENSEMBLE DE LA SCÈNE III. — Le triomphe de Bartholo : comment obtient-il de Rosine, par la ruse et la feinte douceur, ce qu'il n'avait pu obtenir par la tyrannie et par la violence?

— L'ironie du sort : peut-on reprocher à Bartholo d'avoir provoqué les circonstances qui lui sont si favorables?

— La virtuosité de Beaumarchais : comment fait-il naître la pire des complications au moment qui précède le dénouement? Comparez cette situation à celle de *l'École des femmes* (acte V, scènes IV et suivantes).

SCÈNE IV. — ROSINE, *seule*.

Son amour me dédommagera!... Malheureuse!... *(Elle tire son mouchoir, et s'abandonne aux larmes.)* Que faire?... Il va venir. Je veux rester et feindre avec lui, pour le contempler un moment dans toute sa noirceur. La bassesse de son pro
5 cédé sera mon préservatif[1]... Ah! j'en ai grand besoin. Figure noble, air doux, une voix si tendre!... et ce n'est que le vil agent d'un corrupteur! Ah, malheureuse! malheureuse!... Ciel! on ouvre la jalousie! *(Elle se sauve.)* **(13)**

SCÈNE V. — LE COMTE, FIGARO, *enveloppé d'un manteau, paraît à la fenêtre.*

FIGARO *parle en dehors*. — Quelqu'un s'enfuit : entrerai-je?

LE COMTE, *en dehors*. — Un homme?

FIGARO. — Non.

LE COMTE. — C'est Rosine, que ta figure atroce aura mise
5 en fuite.

FIGARO *saute dans la chambre*. — Ma foi, je le crois... Nous voici enfin arrivés, malgré la pluie, la foudre et les éclairs.

LE COMTE, *enveloppé d'un long manteau*. — Donne-moi la main. *(Il saute à son tour.)* A nous la victoire!

10 FIGARO *jette son manteau*. — Nous sommes tout percés. Charmant temps, pour aller en bonne fortune! Monseigneur, comment trouvez-vous cette nuit?

LE COMTE. — Superbe pour un amant.

FIRAGO. — Oui; mais pour un confident?... Et si quelqu'un
15 allait nous surprendre ici?

LE COMTE. — N'es-tu pas avec moi? J'ai bien une autre

---

1. *Préservatif* : moyen de défense.

--- **QUESTIONS** ---

13. SUR LA SCÈNE IV. — L'évolution des sentiments de Rosine depuis le monologue de la scène II : la part du dépit dans son désespoir. A-t-elle cessé d'aimer Lindor? — Quelle est la réaction du spectateur devant l'émotion de Rosine?

inquiétude : c'est de la déterminer à quitter sur-le-champ la maison du docteur.

FIGARO. — Vous avez pour vous trois passions toutes-puis-
20 santes sur le beau sexe : l'amour, la haine et la crainte.

LE COMTE *regarde dans l'obscurité*. — Comment lui annoncer brusquement que le notaire l'attend chez toi pour nous
unir? Elle trouvera mon projet bien hardi; elle va me nommer
audacieux.

25 FIGARO. — Si elle vous nomme audacieux, vous l'appellerez
cruelle. Les femmes aiment beaucoup qu'on les appelle cruelles.
Au surplus, si son amour est tel que vous le désirez, vous lui
direz qui vous êtes; elle ne doutera plus de vos sentiments. **(14)**

Scène VI. — LE COMTE, ROSINE, FIGARO.

(Figaro allume toutes les bougies qui sont sur la table.)

LE COMTE. — La voici. — Ma belle Rosine!...

ROSINE, *d'un ton très compassé*. — Je commençais, monsieur,
à craindre que vous ne vinssiez pas.

LE COMTE. — Charmante inquiétude!... Mademoiselle, il ne
5 me convient point d'abuser des circonstances pour vous pro-
poser de partager le sort d'un infortuné; mais quelque asile
que vous choisissiez, je jure sur mon honneur...

ROSINE. — Monsieur, si le don de la main n'avait pas dû
suivre à l'instant celui de mon cœur, vous ne seriez pas ici.
10 Que la nécessité justifie à vos yeux ce que cette entrevue a
d'irrégulier.

─────── **QUESTIONS** ───────

14. SUR LA SCÈNE V. — Rapprochez cette scène des deux premières
scènes du premier acte : les entreprises du Comte et de Figaro ont-elles
eu du succès depuis le moment où ils se sont rencontrés sous cette même
jalousie qu'ils viennent de franchir? L'effet de symétrie entre le premier acte et l'acte IV.

— Le rôle de Figaro, devenu le « confident » d'Almaviva : comment
équilibre-t-il, par son bon sens, les excès d'enthousiasme et de crainte
auxquels son maître se laisse aller? La valeur de ses maximes.

— Le comique de situation : le Comte s'attend-il à trouver Rosine
dans l'état d'esprit où elle est maintenant?

— Les détails relatifs à l'action : comprend-on mieux l'utilité de
l'orage déchaîné par Beaumarchais? Quel est le plan d'Almaviva (lignes 16
et 22)?

LE COMTE. — Vous, Rosine! la compagne d'un malheureux sans fortune, sans naissance!...

ROSINE. — La naissance, la fortune! Laissons là les jeux du
15 hasard; et si vous m'assurez que vos intentions sont pures...

LE COMTE, *à ses pieds*. — Ah! Rosine! je vous adore!...

ROSINE, *indignée*. — Arrêtez, malheureux!... vous osez profaner!... Tu m'adores!... Va! tu n'es plus dangereux pour moi; j'attendais ce mot pour te détester. Mais avant de t'aban-
20 donner au remords qui t'attend *(En pleurant)*, apprends que je t'aimais; apprends que je faisais mon bonheur de partager ton mauvais sort. Misérable Lindor! j'allais tout quitter pour te suivre. Mais le lâche abus que tu as fait de mes bontés, et l'indignité de cet affreux comte Almaviva, à qui tu me vendais,
25 ont fait rentrer dans mes mains ce témoignage de ma faiblesse. Connais-tu cette lettre?

LE COMTE, *vivement*. — Que votre tuteur vous a remise?

ROSINE, *fièrement*. — Oui, je lui en ai l'obligation (**15**).

LE COMTE. — Dieux, que je suis heureux! Il la tient de moi.
30 Dans mon embarras, hier, je m'en suis servi pour arracher sa confiance; et je n'ai pu trouver l'instant de vous en informer. Ah, Rosine! il est donc vrai que vous m'aimez véritablement!

FIGARO. — Monseigneur, vous cherchiez une femme qui vous
35 aimât pour vous-même...

ROSINE. — Monseigneur!... Que dit-il?

LE COMTE, *jetant son large manteau, paraît en habit magnifique*. — O la plus aimée des femmes! il n'est plus temps de vous abuser : l'heureux homme que vous voyez à vos pieds n'est
40 point Lindor; je suis le comte Almaviva, qui meurt d'amour, et vous cherche en vain depuis six mois.

ROSINE *tombe dans les bras du Comte*. — Ah!...

QUESTIONS

15. La part de la feinte et de la sincérité dans le comportement de Rosine : joue-t-elle bien les héroïnes de mélodrame? A quoi voit-on qu'elle se prend à son propre jeu? Quel trait de son caractère se confirme? Dans quelle mesure est-elle émouvante? N'est-elle pas un peu ridicule? — L'attitude du Comte : pourquoi l'accueil de Rosine, loin de le surprendre, provoque-t-il son émerveillement attendri?

LE COMTE, *effrayé.* — Figaro!

FIGARO. — Point d'inquiétude, monseigneur : la douce émo-
45 tion de la joie n'a jamais de suites fâcheuses; la voilà, la voilà
qui reprend ses sens. Morbleu, qu'elle est belle!

ROSINE. — Ah, Lindor!... Ah, monsieur! que je suis coupable! j'allais me donner cette nuit même à mon tuteur.

LE COMTE. — Vous, Rosine!

50 ROSINE. — Ne voyez que ma punition! J'aurais passé ma
vie à vous détester. Ah, Lindor, le plus affreux supplice n'est-il
pas de haïr, quand on sent qu'on est faite pour aimer? **(16)**

FIGARO *regarde à la fenêtre.* — Monseigneur, le retour est
fermé; l'échelle est enlevée.

55 LE COMTE. — Enlevée!

ROSINE, *troublée.* — Oui, c'est moi... c'est le docteur. Voilà
le fruit de ma crédulité. Il m'a trompée. J'ai tout avoué, tout
trahi : il sait que vous êtes ici, et va venir avec main-forte.

FIGARO *regarde encore.* — Monseigneur! on ouvre la porte
60 de la rue.

ROSINE, *courant dans les bras du Comte, avec frayeur.* — Ah,
Lindor!...

LE COMTE, *avec fermeté.* — Rosine, vous m'aimez! je ne
crains personne; et vous serez ma femme. J'aurai donc le
65 plaisir de punir à mon gré l'odieux vieillard!...

ROSINE. — Non, non; grâce pour lui, cher Lindor! Mon
cœur est si plein que la vengeance ne peut y trouver place. **(17)(18)**

———————— QUESTIONS ————————

16. Ce moment où tout s'éclaircit entre Rosine et le Comte était-il
attendu? Les effets pathétiques (l'apparition du Comte en habit magnifique, l'évanouissement de Rosine) doivent-ils être pris tout à fait au
sérieux? En quoi, cependant, les trois personnages restent-ils conformes
à leur caractère?

17. Pouvait-on s'attendre à ces nouvelles difficultés? Relevez tous
les détails qui, en quelques répliques, précisent la situation actuelle et
préparent les scènes suivantes. — La générosité de Rosine (lignes 66-67) :
pourquoi Beaumarchais ne pouvait-il lui prêter une autre attitude?

18. SUR L'ENSEMBLE DE LA SCÈNE VI. — La première phase du dénouement : quel malentendu, né de la scène II de l'acte III et habilement entre-
tenu pendant deux actes, se trouve dissipé? Ne pourrait-on parler d'une
scène de « reconnaissance »?

Scène VII. — LE NOTAIRE, DON BAZILE,

LES ACTEURS PRÉCÉDENTS.

FIGARO. — Monseigneur, c'est notre notaire.

LE COMTE. — Et l'ami Bazile avec lui!

BAZILE. — Ah! qu'est-ce que j'aperçois?

FIGARO. — Eh! par quel hasard, notre ami...?

5   BAZILE. — Par quel accident, messieurs...?

LE NOTAIRE. — Sont-ce là les futurs conjoints?

LE COMTE. — Oui, monsieur. Vous deviez unir la signora Rosine et moi cette nuit, chez le barbier Figaro; mais nous avons préféré cette maison, pour des raisons que vous saurez. 10 Avez-vous notre contrat?

LE NOTAIRE. — J'ai donc l'honneur de parler à Son Excellence monsieur le comte Almaviva?

FIGARO. — Précisément.

BAZILE, *à part.* — Si c'est pour cela qu'il m'a donné le passe-15 partout...

LE NOTAIRE. — C'est que j'ai deux contrats de mariage, monseigneur. Ne confondons point : voici le vôtre; et c'est ici celui du seigneur Bartholo avec la signora... Rosine aussi? Les demoiselles apparemment sont deux sœurs qui portent 20 le même nom.

LE COMTE. — Signons toujours. Don Bazile voudra bien nous servir de second témoin. *(Ils signent.)*

BAZILE. — Mais, Votre Excellence... je ne comprends pas...

LE COMTE. — Mon maître Bazile, un rien vous embarrasse, 25 et tout vous étonne.

BAZILE. — Monseigneur... mais si le docteur...

LE COMTE, *lui jetant une bourse.* — Vous faites l'enfant! Signez donc vite.

BAZILE, *étonné.* — Ah! ah!...

30   FIGARO. — Où est donc la difficulté de signer?

BAZILE, *pesant la bourse.* — Il n'y en a plus. Mais c'est que moi, quand j'ai donné ma parole une fois, il faut des motifs d'un grand poids... *(Il signe.)* **(19)**

Scène VIII et dernière. — BARTHOLO, un alcade[1], des alguazils[2], des valets *avec des flambeaux,* et les acteurs précédents.

BARTHOLO *voit le Comte baiser la main de Rosine, et Figaro qui embrasse grotesquement don Bazile; il crie en prenant le notaire à la gorge.* — Rosine avec ces fripons! Arrêtez tout le monde. J'en tiens un au collet.

5 LE NOTAIRE. — C'est votre notaire.

BAZILE. — C'est votre notaire. Vous moquez-vous?

BARTHOLO. — Ah! don Bazile, et comment êtes-vous ici?

BAZILE. — Mais plutôt vous, comment n'y êtes-vous pas?

L'ALCADE, *montrant Figaro.* — Un moment! je connais
10 celui-ci. Que viens-tu faire en cette maison, à des heures indues?

FIGARO. — Heure indue? Monsieur voit bien qu'il est aussi près du matin[3] que du soir. D'ailleurs, je suis de la compagnie de Son Excellence monseigneur le comte Almaviva. *tire/ôte le masque*

BARTHOLO. — Almaviva!

15 L'ALCADE. — Ce ne sont donc pas des voleurs? **(20)**

---

1. *Alcade :* fontionnaire local de justice en Espagne; 2. *Alguazils :* voir page 50, note 4; 3. Quatre heures.

QUESTIONS

19. Sur la scène VII. — Est-ce Bazile qu'on s'attendait à voir arriver? Ce rebondissement était-il toutefois imprévisible (voir acte IV, scène première, ligne 53)?

— Le rythme de cette scène : qui mène le jeu? Est-il vraisemblable que les doutes du notaire et les scrupules de Bazile soient si facilement levés?

— A quoi se bornent les rôles de Figaro et de Rosine?

20. Cette entrée de Bartholo accompagné de gens de justice était-elle préparée (voir acte IV, scène III, ligne 55, et acte IV, scène VI, ligne 58)? Étant donné toutes les précautions qu'il avait prises, le vieillard pouvait-il se douter de ce qui se passait chez lui? Est-il vraisemblable qu'il ne soit pas revenu plus tôt? — Les effets de farce : pourquoi sont-ils nécessaires?

BARTHOLO. — Laissons cela. — Partout ailleurs, monsieur le comte, je suis le serviteur de Votre Excellence; mais vous sentez que la supériorité du rang est ici sans force. Ayez, s'il vous plaît, la bonté de vous retirer.

20   LE COMTE. — Oui, le rang doit être ici sans force; mais ce qui en a beaucoup, est la préférence que mademoiselle vient de m'accorder sur vous, en se donnant à moi librement.

BARTHOLO. — Que dit-il, Rosine?

ROSINE. — Il dit vrai. D'où naît votre étonnement? Ne
25   devais-je pas, cette nuit même, être vengée d'un trompeur? Je le suis.

BAZILE. — Quand je vous disais que c'était le comte lui-même, docteur?

BARTHOLO. — Que m'importe à moi? Plaisant mariage!
30   Où sont les témoins?

LE NOTAIRE. — Il n'y manque rien. Je suis assisté de ces deux messieurs.

BARTHOLO. — Comment, Bazile! vous avez signé?

BAZILE. — Que voulez-vous? ce diable d'homme a toujours
35   ses poches pleines d'arguments irrésistibles.

BARTHOLO. — Je me moque de ses arguments. J'userai de mon autorité.

LE COMTE. — Vous l'avez perdue en en abusant.

BARTHOLO. — La demoiselle est mineure.

40   FIGARO. — Elle vient de s'émanciper[1].

BARTHOLO. — Qui te parle à toi, maître fripon?

LE COMTE. — Mademoiselle est noble et belle; je suis homme de qualité, jeune et riche; elle est ma femme : à ce titre, qui nous honore également, prétend-on me la disputer?

45   BARTHOLO. — Jamais on ne l'ôtera de mes mains.

LE COMTE. — Elle n'est plus en votre pouvoir. Je la mets

---

1. *S'émanciper* : s'affranchir de l'autorité de son tuteur par le mariage, ce qui est en effet conforme à son droit.

sous l'autorité des lois; et monsieur, que vous avez amené vous-même, la protégera contre la violence que vous voulez lui faire. Les vrais magistrats sont les soutiens de ceux qu'on
50 opprime. **(21)**

L'ALCADE. — Certainement. Et cette inutile résistance au plus honorable mariage indique assez sa frayeur sur la mauvaise administration des biens de sa pupille, dont il faudra qu'il rende compte. **(22)**

55 LE COMTE. — Ah! qu'il consente à tout, et je ne lui demande rien.

FIGARO. — ... que la quittance de mes cent écus : ne perdons pas la tête.

BARTHOLO, *irrité*. — Ils étaient tous contre moi; je me suis
60 fourré la tête dans un guêpier.

BAZILE. — Quel guêpier? Ne pouvant avoir la femme, calculez, docteur, que l'argent vous reste; eh oui, vous reste!

BARTHOLO. — Ah! laissez-moi donc en repos, Bazile! Vous ne songez qu'à l'argent. Je me soucie bien de l'argent, moi!
65 A la bonne heure, je le garde; mais croyez-vous que ce soit le motif qui me détermine? *(Il signe.)* **(23)**

FIGARO, *riant*. — Ah, ah, ah, monseigneur! ils sont de la même famille.

LE NOTAIRE. — Mais, messieurs, je n'y comprends plus rien.

───────── **QUESTIONS** ─────────

21. Le changement de ton à partir de la ligne 36 : sur quel terrain Bartholo se défend-il quand il voit qu'il ne peut plus faire passer Lindor et Figaro pour des voleurs? Le vieux tuteur connaît-il bien ses droits? Quel avantage veut-il se donner, surtout en présence de l'alcade? — Les réponses du Comte : quelle conception morale du droit défend-il contre Bartholo, qui s'en tient à la lettre de la loi? Importance de la réplique des lignes 46-50 : quelle résonance pouvait-elle avoir pour les spectateurs de 1775? — Quel sentiment reflète la seule réplique de Rosine (lignes 24-26)? Est-elle fidèle à ce qu'elle avait dit à la fin de la scène VI (lignes 66-67)?

22. Cette révélation de l'alcade sur la malhonnêteté de Bartholo surprend-elle (voir acte III, scène XII, ligne 47)? Quel trait de son caractère peut expliquer ses malversations?

23. La capitulation de Bartholo : quels en sont les motifs profonds? Est-il indifférent, comme il le dit, à l'argent qu'on lui laisse? — Montrez qu'en tout cas Beaumarchais lui laisse un certain sens de la dignité; quelle différence de ce point de vue avec Harpagon ou Arnolphe?

70 Est-ce qu'elles ne sont pas deux demoiselles qui portent le même nom?

FIGARO. — Non, monsieur, elles ne sont qu'une.

BARTHOLO, *se désolant*. — Et moi qui leur ai enlevé l'échelle, pour que le mariage fût plus sûr! Ah! je me suis perdu faute 75 de soins.

FIGARO. — Faute de sens[1]. Mais soyons vrais, docteur : quand la jeunesse et l'amour sont d'accord pour tromper un vieillard, tout ce qu'il fait pour l'empêcher peut bien s'appeler à bon droit *la Précaution inutile*. (24) (25) (26)

_____

1. Faute de bon sens.

─────── **QUESTIONS** ───────────────

24. Les derniers traits comiques. — Bartholo a-t-il réellement manqué de vigilance (lignes 74-75)? — En quoi sa dernière réplique montre-t-elle qu'il n'a rien compris à son aventure et qu'il reste incorrigible? — Le mot de la fin : pour quelle raison est-il confié à Figaro? Quelle est sa portée?

25. SUR L'ENSEMBLE DE LA SCÈNE VIII. — Montrez que Beaumarchais a su donner à ce dénouement prévisible un caractère naturel et vraisemblable. Quels effets trop faciles a-t-il évités?

— Comparez de ce point de vue le dénouement du *Barbier de Séville* et celui de *l'École des femmes*.

— Faut-il voir dans le triomphe du Comte sur Bartholo la victoire d'un noble libéral sur un bourgeois attaché à ses traditions, qui soutiennent ses propres intérêts? ou seulement la victoire de la jeunesse sur la vieillesse?

— La dernière image de Bartholo : pourquoi Beaumarchais a-t-il ménagé dans une certaine mesure un personnage qu'il avait pourtant rendu grotesque à certaines occasions?

26. SUR L'ENSEMBLE DE L'ACTE IV. — La structure de cet acte, plus court que les précédents : est-il, malgré sa brièveté, moins riche en péripéties et en rebondissements? Qu'en résulte-t-il pour le rythme de l'action?

— Les éléments traditionnels de ce dénouement : comment Beaumarchais en use-t-il avec originalité sans cependant priver le spectateur des épisodes auxquels celui-ci s'attend? A quoi se réduisent en particulier ici les rôles de personnages conventionnels comme l'alcade et le notaire?

— A quels moments de cet acte retrouve-t-on, fort discrètement, le Beaumarchais auteur de drames bourgeois?

— Le rôle de Figaro dans ce dernier acte.

DOCUMENTATION THÉMATIQUE

réunie par la Rédaction des Nouveaux Classiques Larousse.

1. GENÈSE DE L'ŒUVRE

A la fin des *Œuvres complètes* de Beaumarchais publiées au début du XIXe siècle se trouve une étude sur les *Drames de Beaumarchais et leurs critiques* due à la plume de son ami Gudin. On se reportera dans les documents du *Mariage de Figaro* aux pages consacrées à l'étude de Figaro.

1.1. COMPOSITION DU *BARBIER*

Peu avant *le Barbier,* Beaumarchais venait de publier un drame au succès important : *les Deux Amis.* Venant après des ouvrages comme l'*Essai sur le genre dramatique sérieux,* cette pièce consacrait son auteur comme écrivain dramatique dans l'esprit du public : c'était compter sans la prodigieuse variété de talents de l'ancien horloger. [Nous avons conservé au texte sa ponctuation originale.]

> Les lecteurs versèrent des larmes en la lisant ; on la trouva plus fortement combinée, et plus correctement écrite qu'*Eugénie.*
>
> Les critiques, affligés du succès de ce nouveau drame, décidèrent que *Beaumarchais* était un esprit sombre, humoriste, et même noir, incapable de rien produire de gai. Il lui eût été facile de les confondre, et peut-être les eût-il détrompés sur-le-champ, si des événements qui se succédèrent ne l'eussent alors détourné du théâtre.
>
> Il gagna en première instance un procès qu'il avait contre le légataire universel de M. *Duverney.* L'héritier en appela, non à l'antique cour des Pairs, mais à ce Parlement que le public ne voulait reconnaître ni pour le sien, ni pour celui du roi qui l'avait institué, et devant lequel la plupart des avocats ne voulaient point plaider.
>
> Pendant les délais exigés par la loi, *Beaumarchais* composa un opéra-comique fort gai, orné de couplets sur des airs espagnols qu'il avait rapportés de Madrid, et sur des airs italiens qu'il voulait naturaliser en France : il lut cette pièce aux comédiens dits *italiens,* qui étaient alors en possession de ces sortes d'ouvrages : elle fut refusée.
>
> Le soir, en soupant, chez une femme de beaucoup d'esprit, avec *Marmontel, Sedaine, Rulhières, Chamfort,* et quelques autres amateurs du théâtre, *Beaumarchais* nous apprit que sa pièce avait été refusée le matin au théâtre des chansons.
>
> Chacun l'en félicita. Nous connaissions son ouvrage ; nous l'assurâmes que les comédiens français seraient plus sensés, qu'il n'y aurait de perdu que les couplets, et que *le Barbier*

de Séville aurait plus de succès au théâtre de *Molière* qu'à celui d'*Arlequin*.

Marmontel et *Sedaine*, qui connaissaient à fond les membres du sénat chansonnier, nous révélèrent les intérêts secrets, causes de la disgrâce de ce *Barbier*. Car, dans ce corps lyrique et comique, aussi bien que dans les diplomatiques, les motifs cachés avaient plus d'influence que les ostensibles.

Ils nous dirent donc que le principal acteur de ce théâtre, avant de monter sur la scène, avait représenté, le rasoir à la main, dans des boutiques de perruquiers, et que, semblable à tant d'autres hommes montés sur des échasses, il ne voulait rien faire qui pût rappeler sa première origine. Ce fut un beau sujet de rire et de moraliser; et il fut décidé que *Beaumarchais* porterait sa pièce à la comédie française.

Sans ce refus, sans ce souper, cette pièce, qui devint si célèbre, et qui fut suivie de deux autres plus célèbres encore, enfouie sous la musique, n'eût obtenu que des applaudissements partagés, n'aurait point eu de suite, fût demeurée sans gloire et sans critiques, et n'eût point augmenté les ennemis de l'auteur. Voilà comme les événements s'enchaînent, et à quoi tiennent quelquefois les grands succès et les grands revers.

1.2. DES PREMIÈRES CRITIQUES AU PREMIER SUCCÈS

Gudin en vient ensuite à réfuter les critiques de La Harpe. On tentera de confronter les passages de l'œuvre avec les propos de l'auteur du *Lycée,* dont on montrera la fragilité.

La Harpe s'est trompé sur le temps où cette pièce fut faite et sur celui où elle fut jouée.

Elle fut reçue à la comédie française en 1772, longtemps avant que *Beaumarchais* eût songé à écrire des mémoires. Il lui était même impossible de présumer alors que les avocats refuseraient de plaider sa cause, et qu'il serait réduit à se défendre lui-même. Ainsi, quand il composa son *Barbier,* il n'emprunta rien à ses mémoires qui n'existaient pas; et quand il le fit représenter le 23 février 1775, il n'était pas encore réhabilité par le véritable parlement de Paris, puisqu'il ne le fut que le 6 septembre 1776. Ainsi, toutes les allusions que *La Harpe* s'efforce de trouver entre ces événements et la contexture de cette comédie, sont dénuées de vérité.

Il loue cependant cet ouvrage, mais le moins qu'il peut, et n'y voit pas tout ce qu'il contient. Il le compare à des pièces qui lui seront toujours inférieures, parce qu'elles n'ont ni sa verve, ni l'originalité de ses caractères, ni l'énergie piquante de son style, ni le naturel de son dialogue, ni cette foule de bons mots qui sont devenus proverbes; ni, ce qui est plus essentiel encore, cette foule de rapports avec tous les états de la société, et avec tous les replis du cœur humain. C'est là le sceau de l'immortalité.

Cette pièce fut reçue avec transport par les comédiens français, comme nous l'avions prévu.

1.3. LE JUGEMENT DU PUBLIC

Beaumarchais s'est soumis au jugement des spectateurs : connaissez-vous d'autres exemples semblables dans la littérature ? On comparera ce qu'il dit de cet événement dans sa *Lettre modérée,* c'est-à-dire à chaud, avec sa réaction neuf ans plus tard dans sa lettre au baron de Breteuil (voir la Documentation thématique du *Mariage de Figaro*).

Mais entre le moment de la réception d'une pièce et celui de sa représentation, il se passait quelquefois plus de temps qu'entre le jour où une cause était gagnée dans un tribunal et celui où elle était jugée une seconde fois dans un autre. *Beaumarchais* eut donc alors à soutenir deux sortes de procès fort différents, l'un au parlement *Maupeou,* l'autre au tribunal du parterre. Nous espérions bien qu'il les gagnerait tous deux ; nous nous trompions : il perdit l'un et l'autre. On sait comment, après avoir perdu son procès contre le légataire, il parvint à le gagner en dernier ressort. Il en fut de même de celui qu'il avait devant la cour suprême du parterre : tous les juges y sont pairs, et les causes y sont plaidées par les acteurs. Les juges séants, ou plutôt debout (car ils l'étaient alors), se montrèrent inexorables, et la pièce tomba. L'auteur forma aussitôt appel du parterre au parterre.

Ce tribunal singulier, rigoureux, passionné, facile à surprendre, est pourtant impartial et juste : il casse lui-même ses arrêts, revoit sans prévention ce qu'il a mal jugé en première instance, relève ce qu'il avait injustement abattu, et condamne à l'oubli ce qu'il avait applaudi en cédant à la séduction de quelque illusion théâtrale.

Or, le parterre avait été fort juste le jour de la première représentation du *Barbier de Séville*. Cette comédie, qui nous avait enchantés à la lecture, nous parut longue au théâtre : une surabondance d'esprit amenait la satiété et fatiguait l'auditeur. *Beaumarchais* émonda son arbre trop touffu ; supprima un acte, transporta une scène du premier au second, et donna ainsi à sa pièce une marche égale et vive, qui, soutenant l'attention, laissait goûter le charme des détails.

1.4. LE « SECOND » *BARBIER*

Alors on remarqua que *Figaro* est un caractère tout neuf ; que celui de *Bazile* ne l'est pas moins ; que l'intrigue est vive et gaie, l'imbroglio facile, bien noué et bien dénoué ; le dialogue naturel, vrai, plein d'esprit; que la situation de *Bazile* au troisième acte est sans modèle et d'un vrai comique, c'est-à-dire, de ce comique de situation si rare et si essentiel, qu'il n'y a point de bonne comédie sans lui.

Le parterre applaudit d'un bout à l'autre de la pièce, révoqua son premier arrêt; et le procès fut gagné complètement.

Les connaisseurs observèrent qu'en mêlant dans son dialogue des traits d'une critique utile, l'auteur avait rempli le but de la bonne comédie, en se moquant des malveillants, des malpensants, de ceux qui veulent décider de tout par cela seul qu'ils sont puissants, et de ceux qui décrient leur siècle sans le connaître. Ainsi le docteur dit à ses valets : *La justice? c'est bon pour vous autres misérables; je suis votre maître pour avoir toujours raison.* Ainsi, ce même *Bartholo,* déraisonnant, grondant, blâmant tout, s'écrie : *Siècle barbare! — Vous injuriez toujours notre pauvre siècle,* lui dit *Rosine.* A quoi le docteur repartit : *Pardon de la liberté; qu'a-t-il produit pour qu'on le loue? Sottises de toute espèce : la liberté de penser, l'attraction, l'électricité, le quinquina, l'Encyclopédie, et les drames.*

1.5. UNE THÉORIE DE LA COMÉDIE

Le passage suivant est important : il montre la conception de l'œuvre comique et de la critique un siècle après Molière. Aussi sera-t-il intéressant de confronter ces lignes avec les Préfaces de Molière et des autres auteurs comiques que vous connaissez d'une part, de l'autre avec les textes de Boileau, de Voltaire et des autres Philosophes.

Si la comédie doit combattre les vices et bafouer les ridicules, il lui appartient aussi de faire remarquer aux gens qui ne pensent guère, le bien qui se fait à leur insu; il ne s'agit que de le dire du ton convenable, c'est ce qui caractérise le talent; et *Beaumarchais* avait éminemment celui de tout dire.

Cette facilité de tout hasarder en se faisant applaudir, éveillait la jalousie et déchaînait contre lui toutes les cabales : celle des auteurs tombés, et celle des auteurs envieux, et celle des incapables, et celle des importants humiliés, et celle de certains journalistes qui ne voient guère que des défauts dans les ouvrages qui réussissent; car tous ne sont pas atteints de cette manie : il y en a de très sages, qui jouissent de l'estime publique, et que j'honore. Malheureusement en tous genres les sages ne sont pas ceux qui font le plus de bruit et qui attirent la foule.

La Fontaine avait dit :

Tout faiseur de journaux doit tribut aux malins.

Mais depuis *La Fontaine* on avait bien perfectionné l'art d'en-venimer la critique. Au lieu d'analyser les ouvrages comme *Bayle* et *Leclerc,* on raisonnait dessus, on les ridiculisait, on les défigurait. Le lecteur, au lieu d'avoir une idée juste d'un livre, ne connaissait que la passion du folliculaire, et ne lisait que des sarcasmes.

> Mais leurs hebdomadaires,
> Qu'aucuns alors nommaient *patibulaires,*

n'étaient pas les archives du goût et de la raison. Les ouvrages qu'ils censuraient le plus fortement étaient toujours ceux que le public suivait le plus constamment. *Beaumarchais* dit en plai-santant, dans sa préface, que *les gens de feuilles étaient souvent les ennemis des gens de lettres.*

1.6. FIGARO, FRANÇAIS MOYEN?

Telle est à peu près la question que pose Gudin en y répondant par l'affirmative. Le jugement doit cependant être nuancé. Aussi essayera-t-on de réunir à partir de la pièce le maximum d'arguments, du *Mariage* et de *la Mère coupable,* ainsi que d'autres ouvrages dans lesquels les auteurs ont tenté de créer des personnages synthétiques de l'esprit français.
De même, on opposera cette conception du personnage sym-bolique à celle de Molière, à celle du personnage typique chez Balzac.

UN AUTEUR, OSER CARACTÉRISER TOUT UN PEUPLE ! Oui, Mes-sieurs, et tous les jours vous applaudissez *Aristophane* d'avoir joué le peuple d'Athènes, sous le nom *du bon homme Demos,* dans sa comédie *des Chevaliers,* et d'avoir fait rire les Athé-niens d'eux-mêmes. Les auteurs anglais jouent tous les jours le peuple d'Angleterre sous le nom de *John Bull (Jean le Bœuf),* et le font rire de ses propres défauts. Les Athéniens et les Anglais ne s'en scandalisèrent jamais. Et si *Arlequin* est, comme je le crois, la caricature du peuple italien, opprimé par les deux puissances, on sait que les Italiens n'ont fait qu'en rire. Qu'on examine ces quatre personnages sous ce point de vue, qu'on les compare, et qu'on juge qui l'on aimera le mieux, du bon homme *Demos,* du balourd *Arlequin,* du grossier *John Bull,* ou du *beau, du gai, de l'aimable Figaro,* se moquant de ses maîtres et ne pouvant s'en passer ; murmurant du joug et le portant avec gaîté.

1.7. LA « RÉPUBLIQUE DES LOUPS »

Les lignes suivantes sont plus anecdotiques, mais servent à illus-trer diverses diatribes de Figaro dans ses propos. On voit ainsi la parenté intime de la création avec son créateur.

Les *Zoïles,* les *Mevius,* les *Wasp,* les *Frérons* du temps, critiquèrent au hasard ce caractère; mais tous les corsaires de la littérature, tout le *servum pecus* d'*Horace,* tâchèrent de s'en emparer; on le mit, ou plutôt on le défigura sur tous les théâtres. On vit paraître les deux *Figaros,* et le petit *Figaro,* et mille autres caricatures où l'on crut jouer l'auteur; et l'on montra seulement qu'on n'avait pas compris le caractère qu'on essayait de retracer, et que le public aimait à revoir.

D'autres auteurs, plus modestes ou plus adroits, empruntèrent avec plus d'art tous les traits qu'ils pouvaient saisir à ce caractère pour en orner ceux qu'ils tentaient de créer; mais malgré toute la dextérité qu'ils employaient pour cacher leurs larcins, ce qui appartenait à *Figaro* perçait toujours, et se faisait remarquer.

Les dispensateurs des renommées en feuilles volantes, furent alors fort embarrassés à décider si l'auteur du *Barbier de Séville* était un homme morose ou jovial, un esprit gai ou atrabilaire : mais ils soutinrent toujours que ses pièces étaient mauvaises, mal conçues, immorales; que le public avait tort de rire au *Barbier de Séville* et de pleurer à *Eugénie :* pièces qui ne ressemblaient à rien, des situations qu'on n'avait jamais vues, des caractères qu'on ne connaissait point. Etaient-ce là des nouveautés ou des innovations ? des hardiesses ou des licences ?

Quant à ceux qui, dans Paris, faisaient *de la république des lettres, la république des loups,* ils prirent le parti de justifier ce mot qui pouvait paraître hasardé; ils se jetèrent sur l'auteur comme de vrais loups, essayèrent de mettre en lambeaux sa réputation et ses ouvrages, afin de vivre de ce qu'ils lui arracheraient.

Sa célébrité s'en accrut. Les libelles ne sont que des échos qui répètent de toutes parts le nom qui les frappe et qu'ils repoussent.

1.8. CARACTÈRE DE BEAUMARCHAIS

On a souvent prétendu que Figaro n'était que le calque de son créateur. Cela paraît un peu trop hâtif : il faut nuancer cette appréciation. Si de nombreux traits passent stylisés de Beaumarchais à Figaro, il en est d'autres qui diffèrent totalement. Témoin l'anecdote suivante dans laquelle Beaumarchais se comporta avec un sang-froid assurément plus net que celui qu'aurait pu montrer dans la même situation son héros de valet.

Beaumarchais, beaucoup moins occupé de ses propres ouvrages que ceux qui les censuraient, n'en parlait jamais, ne recherchait ni les applaudissements de salon, ni ces petits suffrages de société que tant d'auteurs envient; et quoique riche, il ne soudoyait aucun folliculaire pour lui prodiguer des éloges d'un jour, qu'on oublie le lendemain, et qui n'ont jamais fondé aucune réputation.

Au lieu de songer à faire valoir ses productions, il s'occupait à vanter celles des autres, à en faire remarquer les beautés, à encourager les talents modestes, à les produire ; il défendait avec franchise et vivacité tous ceux dont il entendait dire du mal. Ses amis l'appelaient *l'avocat des absents.* Sa politesse ne ressemblait pas à celle de ces hommes du beau monde, qui, selon Voltaire, *aussi durs que polis,* flagornent les gens en leur parlant, les persifflent en parlant aux autres ; et dès qu'ils les voient sortir d'un salon, en disent tout le mal qu'ils savent, leur prêtent des actions qu'ils n'ont point faites, des discours qu'ils n'ont point tenus, et veulent leur faire présent, pour tout bien, de quelque ridicule qu'ils n'ont pas.

On était sûr que Beaumarchais ne disait jamais de mal de personne, pas même de ses ennemis. Je me plaignais un jour à lui qu'il ne m'eût pas compté des détails assez piquants sur l'avarice et les défauts d'un homme qui le plaidait et le calomniait, et que je venais d'apprendre des parents de cet homme. Nous avons, me dit-il, un meilleur emploi à faire de nos conversations : elles deviendraient tristes, au lieu d'être amusantes ou instructives.

Un jour, un ministre lui montra je ne sais quel ouvrage, fait par un homme qu'il lui nomma, et le pria de lui en rendre compte : Il est exact et parfaitement bien fait, lui dit Beaumarchais. — Mais, lui dit le ministre, cet homme est votre ennemi, et il vous dessert ! — Je le sais bien ; mais sa haine n'empêche pas que son travail ne soit bien, et que je ne doive être juste.

Tel était *Beaumarchais :* on le calomniait, et jamais il ne rendait le mal pour le mal ; il ne décriait pas même ses ennemis les plus acharnés.

Ils triomphaient cependant, non d'avoir écarté le public de ses drames, il s'y portait toujours en foule ; mais de ne le plus voir occuper la scène par de nouveaux ouvrages, car il fut près de dix ans sans en présenter aucun.

2. UN PROLONGEMENT AU *BARBIER*

Chaque année, à la fin de leur saison théâtrale, les comédiens présentaient au public leur compliment de clôture, sorte de bilan dramatique de l'année écoulée (voir la réplique de Bartholo au milieu de la première scène).

En général, le compliment était l'œuvre du directeur de la troupe (on peut analyser ainsi *la Critique de l'École des femmes de Molière*) ou de l'auteur à succès de l'année. Tel semble donc être le cas ici avec ce Compliment de Beaumarchais à la fin de l'année 1775, où fut joué avec succès *le Barbier de Séville*.

L'intérêt de ce genre littéraire, au demeurant relativement fade et plat, est donc évident en la circonstance. Il permet en premier lieu d'admirer une fois de plus l'admirable virtuosité verbale de Beaumarchais, mais surtout, ce Compliment apparaît comme un cinquième acte de la pièce. Les personnages sont les mêmes (certes, ce sont plus les acteurs qui parlent que leurs rôles, mais on ne peut s'empêcher de remarquer que Beaumarchais leur a conservé la plupart des traits distinctifs qu'ils possèdent dans le cours de la pièce), et les allusions à la pièce à son accueil sont nombreuses. Nous possédons deux versions de ce Compliment : l'une, que nous citons, date ainsi que nous l'avons mentionné de 1775 ; l'autre, non datée, fut sans doute rédigée entre 1791 et 1793, c'est-à-dire en pleine tourmente révolutionnaire.

COMPLIMENT DE CLÔTURE
Du 29 mars 1775

Scène première. — BARTHOLO, *seul, se promenant un papier à la main.*

... Diable d'homme qui promet un compliment pour la clôture, qui vous amuse presqu'au dernier jour et, à l'instant de l'annoncer, il faut que je le fasse, moi... *Messieurs, si votre indulgence ne rassurait pas un peu...* je ne ferai jamais ce compliment-là... *Messieurs, votre critique et vos applaudissements nous sont également utiles en ce que...* la peste soit de l'homme... *Messieurs...* Pour bien faire il faudrait que ce compliment eût quelque rapport à l'habit dans lequel je dois le débiter... *Messieurs... De même que les médecins entreprennent tous les malades mais ne guérissent pas toutes les maladies...* qu'une bonne fièvre putride eût pu te saisir au collet, auteur de chien, perfide auteur !... *ne guérissent pas toutes les maladies... de même les comédiens hasardent toutes les pièces nouvelles sans être sûrs que la réussite...* ah ! je sue à grosses gouttes et je ne fais rien qui vaille... *Messieurs... Messieurs !*

Scène II. — BARTHOLO, LE COMTE, FIGARO.

FIGARO, *riant.* — Ah! ah! ah! ah! ah! Messieurs... Eh bien, Messieurs ?

BARTHOLO. — Ah, ça, venez-vous encore m'impatienter, vous autres ?

LE COMTE. — Nous venons vous offrir nos conseils.

BARTHOLO. — Je n'ai pas besoin de précepteur aussi gogue-nard. Je vous connais à présent.

LE COMTE. — Nous ne plaisantons point, je vous jure, et nous sommes aussi intéressés que vous à ce que votre Compliment soit agréé du public.

BARTHOLO. — Oui ?... C'est que j'ai une singularité fort... singulière, moi, quand je n'ai rien à faire : mon esprit va, va, va, comme le diable, et dès que je veux travailler...

FIGARO. — Il prend ce temps-là pour se reposer. Je sais ce que c'est, il ne faut pas que cela vous étonne, Docteur. Cela arrive aussi à beaucoup d'honnêtes gens qui travaillent. Mais savez-vous ce qu'il faut faire ? Au lieu de rester en place en compo-sant, ce qui engourdit la conception et rend l'accouchement pénible à une jeune personne de votre corpulence, il faut vous remuer, Docteur, aller et venir, vous donner de grands mou-vements...

BARTHOLO. — C'est ce que je fais aussi.

FIGARO. — Et prendre la plume dès que vous sentirez que les esprits animaux vous montent à la tête.

BARTHOLO. — Eh !... les esprits animaux...

LE COMTE. — Finis donc, Figaro ! Il est bien temps de plai-santer.

BARTHOLO. — Ingrat barbier ! pour qui j'eus mille bontés ! tu ris de mon embarras au lieu de m'en tirer.

LE COMTE. — De quoi s'agit-il, Docteur ?

BARTHOLO. — Il s'agit d'imaginer, pour la clôture, quelque chose qui me fasse déployer un beau talent devant le public.

FIGARO. — Déployer un beau talent ! Eh ! mais ne cherchez pas, Docteur, rappelez-vous seulement le plaisir extrême que vous lui avez fait quand vous avez déployé à ses yeux le beau talent de chanter en claquant vos pouces :

> Veux-tu, ma Rosinette,
> Faire emplette
> Du roi des maris ?

BARTHOLO. — Ce drôle se pendrait plutôt que de manquer de désobliger ceux à qui il peut faire plaisir.

LE COMTE. — Réellement, Figaro, tu le désoles et le temps se passe. Ah, ça, dites-moi, Docteur ! Savez-vous au moins les choses dont un Compliment de clôture doit être composé ?

BARTHOLO. — Ah ! si je savais aussi bien les faire comme je sais les dire...

FIGARO. — Si je savais courir comme je sais boire, je ferais soixante lieues par heure.

BARTHOLO. — Je sais qu'il faut invoquer l'indulgence du public, parler modestement de nous, dire un mot de tous les ouvrages nouveaux représentés dans l'année.

FIGARO. — Voilà le plus difficile. Au gré des auteurs, on n'en dit jamais assez. Au gré du public, on en dit souvent trop. Le tout est de prendre un juste milieu.

LE COMTE. — Il suffit de rappeler les ouvrages et de les indiquer. Ce n'est plus à nous à prononcer sur leur mérite. L'adoption que nous en avions faite est la preuve du bien que nous en pensions ; et l'œil perçant du public nous dispense ici d'en scruter les défauts. Mais sur les succès, même les plus débattus, les plus douteux, nous devons aux auteurs le juste éloge d'un désir ardent de plaire au public, que nous partageons avec eux.

BARTHOLO. — Eh ! morbleu ! Bachelier, que ne disiez-vous que vous alliez dire cela ? J'aurais pris la plume et mon ouvrage serait fait... Vous dites donc ?

LE COMTE. — Ma foi, je ne me souviens plus.

BARTHOLO. — Quel dommage ! Et toi, Figaro ?

FIGARO. — Moi, cela m'a paru fort plat.

BARTHOLO. — Je le crois. Dès qu'il n'y a pas de calembours...

FIGARO. — Il est vrai. Je ne sais autre chose.

BARTHOLO. — Tâche au moins de te rendre utile en nous rappelant quelles pièces on a données cette année.

FIGARO. — On a donné, on a donné...

LE COMTE. — *Adélaïde d'Hongrie, le Vindicatif, les Amants généreux, la Chasse d'Henri quatre...* la...

BARTHOLO. — Eh ! vous allez si vite que je ne puis vous suivre en écrivant. Recommencez.

LE COMTE. — *Adélaïde d'Hongrie.*

FIGARO *à lui-même.* — L'amour paternel. Bon fond de tragique et rempli de très beaux vers.

LE COMTE. — *Le Vindicatif.*

FIGARO. — Ouvrage estimable d'un homme de beaucoup d'esprit et d'une grande sensibilité.

LE COMTE. — *Les Amants généreux.*

FIGARO. — Du mouvement, du caractère et des détails très piquants.

BARTHOLO. — ...*généreux.*

LE COMTE. — *La Chasse d'Henri quatre.*

FIGARO. — Pour ce sujet-là, c'est l'ami du cœur. Un trait de sa vie privée fait plaisir en comédie, crac! de suite on vous met ses batailles en opéra-comique. Il ne reste plus qu'à faire un ballet de l'adjuration.

BARTHOLO. — *D'Henri quatre.* Après?

LE COMTE. — Une comédie en un acte intitulée?...

FIGARO. — Elle est de l'auteur d'une pièce fugitive intitulée *le Jugement de Pâris.* Morceau charmant!

LE COMTE. — Et quoi encore?

FIGARO. — *Les Bienfaits d'Albert le Grand,* en vers, et le petit *Barbier* votre serviteur, en prose.

BARTHOLO. — Encore un calembour.

FIGARO. — Oui, c'est le mot.

BARTHOLO. — Cela fait sept nouveautés en dix mois, et l'on prétend que nous sommes paresseux.

FIGARO. — Nous en abattrions bien d'autres, si l'on pouvait allier des intérêts inconciliables. Mais, pendant que l'homme de lettres qui attend nous dit sans cesse : « Eh aïe donc! la comédie, c'est mon tour à engrener », l'auteur qui est sur le chantier nous crie de son côté : « Piano, la comédie, piano! Faites-moi durer encore. » Tout cela est bien difficile.

Scène III. — LES ACTEURS PRÉCÉDENTS, MADEMOISELLE LUZY.

Mlle LUZY. — Messieurs, tant que vous occuperez le théâtre on ne commencera pas la petite pièce. Est-ce que le Compliment n'est pas dit?

FIGARO. — Et comment voulez-vous qu'il soit dit? Il n'est seulement pas fait.

Mlle LUZY. — Ce Compliment?

BARTHOLO. — Vraiment non. L'auteur du *Barbier* m'en avait promis un. A l'instant de le prononcer, il nous fait dire de nous pourvoir ailleurs.

Mlle LUZY. — Il est peut-être piqué de ce qu'on a retranché de sa pièce l'air du printemps.

BARTHOLO. — On a bien fait, Mademoiselle : le public n'aime pas qu'on chante à la Comédie-Française.

Mlle LUZY. — Dans les tragédies. Mais depuis quand ferait-il ôter d'un sujet gai ce qui peut en augmenter l'agrément? Allez, Monsieur! le public aime tout ce qui l'amuse.

BARTHOLO. — Est-ce notre faute, à nous, si Rosine a manqué de courage ?

Mlle LUZY. — Est-il joli, le morceau ?

LE COMTE. — Voulez-vous l'essayer ?

BARTHOLO. — Vous allez la faire chanter. Comment diable voulez-vous que je finisse mon Compliment ?

LE COMTE. — Allez toujours, Docteur.

FIGARO. — Dans un petit coin, à demi-voix.

Mlle LUZY. — Mais je suis comme Rosine, moi ! Je vais trembler.

FIGARO. — Fi donc, trembler ! Mauvais calcul, Mademoiselle !

Mlle LUZY. — Eh bien, vous n'achevez pas votre petit calembour ? la peur du mal et le mal de la peur ?

FIGARO. — Vous appelez cela un calembour ?

Mlle LUZY. — Il est vrai que moi qui ai peur de mal chanter, je ressens déjà beaucoup le mal que me fait cette peur-là.

LE COMTE. — Sur un talent qui lui est peu familier, Rosine est vraiment timide. Mais vous qui chantez souvent, friponne, avouez que vous n'avez que l'hypocrisie de la timidité.

Mlle LUZY. — Au moins, Messieurs, c'est vous qui le voulez.

LE COMTE. — Nous jugerons si l'air eût fait plaisir.

Mlle LUZY *chante.* —

> Quand dans la plaine
> L'amour ramène... etc.

LE COMTE. — Fort joli !

FIGARO. — C'est un morceau charmant.

BARTHOLO. — Eh, allez au diable avec votre morceau charmant ! Je ne sais ce que je fais. Voilà que j'ai lardé mon Compliment d'agneaux et de chalumeaux... Don Bazile, à cette heure !

Scène IV. — TOUS LES ACTEURS PRÉCÉDENTS, DON BAZILE.

LE COMTE. — Eh ! que veut l'ami Bazile ?

BARTHOLO. — Voyez s'il y a moyen de faire deux phrases de suite. Eh bien, qu'est-ce que c'est, Bazile ?

BAZILE. — Je ne veux rien. Je viens pour annoncer...

BARTHOLO. — Anoncer quoi ?

FIGARO. — Est-ce qu'il est imbécile ?

LE COMTE. — Il faut l'entendre.

BAZILE. — Il vous semble à tous qu'on vous arrache un toupet de cheveux quand on vous dérobe un seul coup de main parce qu'on vous applaudit toujours à l'annonce... Je veux annoncer aussi.

LE COMTE. — Mon Dieu, laissez-le faire ; c'est le seul moyen de nous en débarrasser. Voyons un peu, Bazile, comment vous vous y prendrez pour faire une annonce aujourd'hui.

BAZILE. — Eh parbleu! en disant : *Messieurs, nous aurons l'honneur de vous donner demain... demain...;* qu'est-ce qu'on donne demain ?

LE COMTE. — Demain, Bazile, on ne donne rien.

BAZILE. — Ah, ah!... Ça ne fait rien. *Demain donc, Messieurs, relâche au théâtre. Lundi, Messieurs...* Eh bien! ne v'la-t-il pas que j'ai oublié ce qu'on donne lundi ? aussi vous me troublez l'esprit avec vos histoires...

BARTHOLO. — Est-ce que vous ne voyez pas, Bazile, qu'on se moque de vous ? lundi on ne donne rien.

BAZILE. — Pour le service de la Cour sans doute ?

BARTHOLO *en colère.* — Eh non !

FIGARO. — Justement.

BAZILE. — Ça ne fait rien. *En ce cas-là mardi...*

FIGARO. — Rien. Mercredi, jeudi, vendredi, samedi, rien. Toute la semaine qui vient, rien, rien. Toute la semaine d'ensuite rien, rien, rien, allez vous coucher.

Mlle LUZY. — Ce pauvre Bazile ! tout le monde l'envoie coucher.

BARTHOLO. — Le pis de tout c'est qu'il n'y va pas et que mon Compliment...

FIGARO. — Il n'y a qu'un moyen au monde de se faire entendre de lui. Laissez-moi faire. Tenez, Bazile, tous mes camarades et moi vous prions d'accepter ce petit dédommagement au chagrin que vous allez ressentir de l'absence du public.

BAZILE. — Ah ah!... une bourse... Eh mais il n'y a rien dedans, vous moquez-vous ?

FIGARO. — Quoi! vous n'êtes pas content quand la comédie vous fait présent de sa recette pendant les trois semaines qui vont s'écouler d'ici à la Quasimodo ?

BAZILE. — Ah! je comprends.

Mlle LUZY. — Y êtes-vous, à la fin ?

BAZILE. — C'est que c'est aujourd'hui la clôture. J'entends.

FIGARO. — Tout de bon ? Il est d'une sagacité, ce Bazile !

LE COMTE. — Ah, ça, puisque vous comprenez enfin, Bazile, laissez-nous donc achever le Compliment que vous avez interrompu. Allez vous coucher une bonne fois.

BAZILE. — Je peux donc m'aller coucher ?

TOUS ENSEMBLE. — Eh sans doute !

BAZILE. — Jusqu'à la Quasimodo ?

TOUS. — Comme il vous plaira.

BAZILE. — En effet, Messieurs, puisque c'est aujourd'hui la clôture, je crois que ce que nous avons tous de mieux à faire est de nous aller coucher. Pour moi je m'y en vais. Le public ne doutera pas du chagrin que j'ai de son absence puisque nous allons être trois semaines sans faire de recettes avec lui.

BARTHOLO. — Eh, laissez-nous donc en repos, Bazile. Vous ne songez qu'à la recette. Je me soucie bien de la recette, moi ! A la bonne heure, je la regrette. Mais croyez-vous que ce soit le motif qui me rende l'absence du public aussi déplaisante, et mon Compliment...

BAZILE. — Faites votre Compliment à votre fantaisie. Pour le mien, vous venez de l'entendre.

LE COMTE. — Eh bien, bonsoir, Bazile, bonsoir !

BAZILE. — Ah, ça, bonsoir, bonsoir !

BARTHOLO. — Le voilà parti. Détourné ainsi par le tiers et le quart, Bachelier, jamais je ne finirai ce malheureux Compliment de clôture.

FIGARO. — Écoutez donc, Docteur : si vous ne pouvez pas faire le Compliment de la clôture, faites au moins la clôture du Compliment, car il faut finir une fois.

BARTHOLO. — Enfin vous voilà ! Si vous étiez de moi tous les deux, qu'est-ce que vous diriez ?

FIGARO. — Si nous étions que de vous, Docteur, il est clair que nous ne saurions que dire.

BARTHOLO. — Eh non. Si vous étiez moi, c'est-à-dire chargés du Compliment.

LE COMTE. — Il me semble que je dirais à peu près : « Est-il besoin, Messieurs, que je fasse ici l'apologie de notre empressement, quand je parle au nom de toute la Comédie ? Et notre existence théâtrale n'appartient-elle pas toute entière à chacun de vous, quoique chacun de vous ne se prive pour en jouir que de la moindre partie d'un superflu qu'il destine à ses amusements ? Pour être convaincus donc, Messieurs, qu'un motif plus noble que l'intérêt nous fait souhaiter constamment de vous plaire, considérez qu'il n'y a pour nous aucun rapport entre le produit de chaque place et l'extrême plaisir que nous cause le plus léger applaudissement de celui qui la remplit. A ce prix qui nous est si cher, Messieurs, nous supportons les dégoûts de l'étude, la surcharge de la mémoire, l'incertitude du succès, les ennemis de la redite et toutes les fatigues du plus pénible état. Notre seule affaire est de vous donner du plaisir. Toujours transportés quand nous y réussissons, nous ne changeons jamais à votre égard, quoique vous changiez quelquefois au nôtre. Et quand, malgré ses soins, quelqu'un de nous a le malheur de vous déplaire, voyez avec quel modeste silence il dévore le chagrin de vos reproches. Et vous ne l'attribuerez pas à défaut de sensibilité, nous dont l'unique étude est d'exercer la vôtre. En toute autre querelle, l'agresseur inquiet doit s'attendre au ressentiment qu'il provoque. Ici l'offensé baisse les yeux avec une timidité respectueuse, et la seule arme qu'il oppose au plus dur traitement est un nouvel effort pour vous plaire et conquérir vos suffrages. Ah! Messieurs, pour notre gloire et pour vos plaisirs, croyez que nous désirons tous être parfaits. Mais nous sommes forcés de l'avouer : la seule chose que nous voudrions ne jamais invoquer est malheureusement celle dont nous avons le plus besoin : votre indulgence. »

BARTHOLO. — Bon, bon, bon, excellent !

FIGARO. — Gardez-vous bien, Docteur, d'écrire tout ce qu'il vient de débiter.

BARTHOLO. — Eh, pourquoi ?

FIGARO. — Cela ne vaut pas le diable.

Mlle LUZY. — Quoi ! son discours ? Il m'a paru si bien.

BARTHOLO. — Je parie, moi, qu'il serait fort applaudi.

FIGARO. — Oui, parce que cela claque à l'oreille, et a l'air d'être un compliment... Pas une pensée qui ne soit fausse.

BARTHOLO. — Jalousie d'auteur.

LE COMTE. — Ah ! voyons.

FIGARO. — Vous préférez les applaudissements du public au profit des places qu'il occupe au spectacle ?

LE COMTE. — Certainement.

FIGARO. — Fort bien ; mais si chacun s'abstenait de vous apporter ici le profit de sa place, où iriez-vous chercher le plaisir de ses applaudissements ? A l'hôpital. Passe encore de déraisonner ; mais ravaler à nos yeux la douce, l'utile recette, et faire ainsi le dédaigneux d'une chose aussi loyalement profitable ! On ne fait rien pour rien. Vous ne méritez pas de prospérer. Je suis un garçon bien élevé, moi. Je ne méprise pas une mère nourrice ou comme disait feu mon père et qu'il est écrit que les ingrats deviendront poussifs, en voici déjà un qui n'est pas loin de la punition, Dieu merci! Et puis, qu'est-ce que l'offensé qui baisse les yeux timidement quand le public a de l'humeur ? C'est du plaisir que le public vient chercher, et il mérite bien d'en prendre : il l'a payé d'avance. Est-ce sa faute si on ne lui en donne pas ? Les comédiens n'auront droit de s'offenser des murmures que lorsqu'ils rendront l'argent aux mécontents. Mais c'est ce qu'il ne faut jamais faire, à cause du danger des conséquences. Jusque-là, si leur droit est de plaire au public, leur métier est de souffrir en attendant qu'il lui plaisent. Ainsi, galimatias que tout votre compliment! Que de sottises on fait passer dans le monde avec des tournures! Enfin vous le ferez comme vous voudrez; mais, pour moi, je n'emploierais pas toutes ces grandes phrases de respect et de dévouement dont on abuse à la journée et qui ne séduisent personne; je dirais uniment : « Messieurs, vous venez tous ici payer le plaisir d'entendre un bon ouvrage, et c'est, ma foi, bien fait pour vous. Quand l'auteur tient parole et que l'acteur s'évertue, vous applaudissez par-dessus le marché : bien généreux de votre part, assurément. La toile tombée, vous emportez le plaisir, nous l'éloge et l'argent; chacun s'en va souper gaîment, et tout le monde est satisfait. Charmant commerce en vérité! Aussi je n'ai qu'un mot, notre intérêt vous répond de notre zèle; pesez-le à cette balance, Messieurs, et vous verrez s'il peut jamais être équivoque. » Hein, Docteur, comment trouvez-vous mon petit calembour ?

UN ACTEUR DE LA PETITE PIÈCE. — Avez-vous donc juré de nous faire coucher ici avec votre Compliment, que vous ne ferez point, à force de le faire ? Le public s'impatiente.

BARTHOLO. — Dame! un moment, c'est pour lui que nous travaillons.

L'ACTEUR. — Eh mais! allez travailler dans une loge, au foyer, où vous voudrez; pendant ce temps, nous commencerons la petite pièce.

BARTHOLO. — Quel homme! Laissez-nous tranquilles.

L'ACTEUR. — Vous ne voulez donc pas sortir ? Jouez, jouez bien fort, Messieurs de l'orchestre; quand ils verront qu'on ne les écoute pas, je vous jure qu'il n'y en aura pas un qui soit tenté de rester à bavarder sur le théâtre.

FIGARO. — Il a, ma foi, dévoilé dans un seul mot tout le secret de la comédie.

(*L'orchestre joue; ils sortent tous et l'on baisse la toile.*)

A la lecture de ce Compliment, on s'intéressera tout particulièrement :

— au style de Beaumarchais : on tentera surtout de montrer comment il a réussi à maintenir l'unité entre les héros de sa pièce et les personnages du Compliment, qui, ne l'oublions pas, parlent en tant qu'acteurs ;

— aux indications sur les réactions du public en face de la pièce (comparer avec *la Lettre modérée*...) ;

— à la psychologie des comédiens vue par un auteur dramatique (on comparera avec Molière et Diderot, par exemple).

3. LE TRAVAIL DE L'ÉCRIVAIN

En réduisant sa pièce à quatre actes, Beaumarchais a dû faire de nombreuses coupures dans son texte : voici, par exemple, le dialogue qui s'insérait à la scène IV de l'acte III (voir la note page 106) :

ROSINE. — Précisément, seigneur don...

LE COMTE. — Palézo, pour vous servir.

BARTHOLO. — Comment, Palézo ? Ce n'est pas là le nom que vous m'avez dit.

LE COMTE *embarrassé, à part*. — Je suis pris. (*Haut.*) Cela est vrai..., mais c'est que... vous m'avez reçu... vous m'avez reçu si singulièrement, que j'en avais oublié...

BARTHOLO. — Jusqu'à votre nom ?

LE COMTE. — Ah! point du tout..., mais que j'avais oublié (*Rosine lui fait un signe en levant deux doigts*) de vous dire que j'en avais deux.

BARTHOLO. — Ainsi vous vous appelez Palézo de...

LE COMTE. — Palézo... et l'autre nom que je vous ai dit.

ROSINE. — Seigneur Alonzo, si c'est moi que ce beau mystère regarde, il fallait au moins recommander à mon tuteur de ne pas vous nommer devant moi...

LE COMTE. — En vérité, Mademoiselle, on ne peut pas mieux acquitter une dette, vous ne devez pas craindre...

BARTHOLO. — Ouais! Seigneur Alonzo ou Palézo, comme il vous plaira, savez-vous bien que vous ne savez plus un mot de ce que vous dites, et que vous rougissez jusqu'aux oreilles, en nous parlant, car je m'y connais ?

LE COMTE *prenant à part le docteur*. — Vous avez raison, Seigneur ! En vérité, je rougis, car je ne puis soutenir un mensonge, quelque innocent qu'il soit. Mais vous et Bazile en êtes un peu la cause.

BARTHOLO. — Moi ? Vous m'expliquerez cela.

LE COMTE *à Rosine*. — Pardon, Madame, il n'y a rien dans ce secret de contraire à vos intérêts. (*A part, au docteur.*) C'est que je vous dirai, Seigneur, que je ne m'appelle Alonzo ni Palézo.

BARTHOLO. — Est-ce que vous me prenez pour une grue ? Je l'ai bien vu.

LE COMTE. — Lorsque Bazile m'a prié de vous apporter la lettre en question...

BARTHOLO *l'attirant plus près*. — Parlez plus bas.

LE COMTE. — Il m'a dit : « Pour vous introduire en sûreté chez le docteur, prenez le nom d'Alonzo. » Mais comme on oublie aisément ce qui est supposé, j'ai dit à la signora le premier nom qui m'est venu à la bouche, et votre remarque (judicieuse en un sens, mais, permettez-moi de vous le dire, indiscrète dans un autre), m'a tellement embarrassé...

BARTHOLO. — J'entends, j'entends; c'est moi qui ai tort.

LE COMTE. — Car mon véritable nom est don Antonio de Casca de los Rios, y Fuentes, y Mare, y autras aguas.

BARTHOLO. — C'est moi qui ai tort.

LE COMTE. — De Casca de los Rios dont on a fait par abréviation Cascario.

BARTHOLO. — Cascario ? C'est assez, c'est moi qui ai tort.

LE COMTE *à part*. — Je n'oublierai pas celui-ci, c'est le nom de mon valet de chambre.

BARTHOLO *à Rosine, haut*. — En vérité, ma brebis, j'ai tort, le plus grand tort; des raisons importantes avaient forcé le bachelier de cacher ici son vrai nom et moi, sottement...

LE COMTE. — Je crois qu'à cet égard le plus fort est fait.

ROSINE. — Le nom de Monsieur est indifférent, pourvu que ma leçon n'en souffre pas.

BARTHOLO. — Sa réflexion est juste. Allons, bachelier...

ROSINE *montrant son papier de musique*. — C'est un morceau très agréable de *la Précaution inutile*...

Cette coupure indique que l'auteur a choisi une pièce au rythme saccadé et alerte, sans pauses trop longues. Toutefois, en ce qui concerne ce passage précis, comment justifier la suppression :

— sur le plan stylistique ;

— sur le plan psychologique ;

— enfin sur le plan dramaturgique lui-même ?

On étudiera dans le même esprit les deux variantes que nous donnons ensuite. La première concerne la scène v de l'acte III ; c'est une variante des lignes 79 et suivantes dans l'édition du Nouveau Classique :

[...] de profession !

FIGARO (*fait des signaux de la main par derrière au Comte*). Ah bien ! tenez, messieurs, puisque nous sommes sur ce chapitre, je vous dirai la réponse que je faisais faire à un homme de ma profession sur pareille apostrophe dans un opéra-comique de ma façon qui n'a eu qu'un quart de chute à Madrid.

LE COMTE. — Qu'entendez-vous par un quart de chute ?

FIGARO (*faisant des signaux de la main au Comte*). — Monsieur, c'est que je n'ai tombé que devant le sénat comique du scénario ; ils m'ont épargné la chute entière en refusant de me jouer. Ah ! si j'avais là mon musicien, mon chanteur, mon orchestre, mon cor de chasse, mon fifre et mes timbales ! car je ne puis chanter à moins d'un train du diable à mes trousses. N'importe, je vais vous lire le morceau. (*Il tire un grand papier au dos duquel sont écrits en gros caractères ces mots :* DEMANDEZ TOUT BAS OÙ IL SERRE LA CLEF DE LA JALOUSIE, *et pendant qu'il débite l'ariette, il tient le papier de façon que le public et le Comte puissent lire le verso.*) C'est une ariette de bravoure majestueuse :

> J'aime mieux être un bon barbier,
> Traînant ma poudreuse mantille ;
> Tout bon auteur de son métier
> Est souvent forcé de piller,
>> Grapiller,
>> Houspiller...
> Un grand coup d'orchestre ! Brouuuum !
>> Il vous pille
> Chez ses devanciers les Auteurs ;
> Turelu turelu ; les flûtes ! Brouuuum !
>> Il grapille
> Dans la bourse des amateurs.
> Tirelan, tirelan, tam, tam ; les hautbois !
>> Il houspille
> Hélas à regret le public,
> Quand il le rassemble en pic-nic
> Pour écouter sa triste affaire...

Ah ! que c'est bien dit : « Sa triste affaire ! » Ici vous entendez, messieurs, public, pic-nic. Pan, pan, pan, les bassons, reprise vivement ; gros violons, moyens violons, petits violons, cors, cornillons, cornets, tambours, tambourins, quintons, flutais, flageolets, galoubets, et autres siffleurs de même farine. Sa triste affaire, avons-nous dit...

REPRISE

D'abord il a fallu la faire,
Souvent ensuite la défaire,
Au gré des acteurs la refaire,
En en parlant n'oser surfaire,
Presque toujours se contrefaire
Et n'obtenir pour tout salaire
Que les brouhahas du parterre,
La critique du monde entier;
Enfin, pour coup de pied dernier,
La ruade folliculaire.
Ah! quel triste, quel sot métier!
J'aime mieux être un bon barbier (*bis*)
        un bon barbier
           bier
           bier.

BARTHOLO. — Assurément, voilà une belle poussée!

LE COMTE (*bas à Rosine*). — Avez-vous lu le papier?

ROSINE (*bas*). — Oui, à sa ceinture.

FIGARO. — Une telle ariette n'avoir pas été exécutée! Y eut-il jamais un pareil revers? (*Il montre au Comte le dos du papier.*)

LE COMTE. — Je conçois qu'on s'en occupe. Seriez-vous, par hasard, celui qu'on nomme ici le Barbier de Séville par excellence?

FIGARO. — Monsieur, Excellence vous-même!

LE COMTE. — Auteur d'un couplet mis au bas du portrait d'une très belle dame habillée en sous-tourière?...

FIGARO (*cherchant à comprendre*). — Il se peut, monsieur.

LE COMTE (*à Bartholo*). — Les vers ne sont pas mal faits, quoique sur un air commun. (*A part.*) Moi qui allais chanter! (*Il débite :*)

Pour irriter nos désirs,
Sœur Vénus dessous la bure
Tient la clef de nos plaisirs...

FIGARO. — Turelure!

LE COMTE. — Attachée à sa ceinture.

FIGARO. — Robin Turlure, lure...

ROSINE. — Il est très joli.

BARTHOLO. — Plein de sel et de délicatesse...

FIGARO. — Il n'est pas de moi; j'en connais l'auteur. Charmant! un pareil ouvrage n'est pas facile à faire!...

BARTHOLO. — Non, je vous assure. Voilà comme j'aime une chanson où l'on détourne agréablement... (*A Figaro, qui tient le papier de son ariette à moitié roulé.*) Qu'est-ce qu'il y a donc d'imprimé derrière votre papier ?

LE COMTE (*à part*). — O étourdi !

ROSINE (*à part*). — Tout est perdu !

FIGARO (*roulant vite le papier*). — Monsieur, c'est une affiche de spectacle sur le verso de laquelle nous autres, pauvres poètes...

BARTHOLO. — ... de la jalousie... j'ai lu.

FIGARO. — Le Danger de la jalousie, voilà ce que c'est.

BARTHOLO (*veut prendre le papier*). — Les journaux n'en ont pas parlé ?

FIGARO. — N'en ont pas parlé... Eh ! mon Dieu ! Monsieur, si les journaux n'étaient pas une forte branche du commerce, et qui fait fleurir les manufactures d'encre et de papier marbré, les journaux feraient peut-être aussi bien...

BARTHOLO. — Les journalistes ? Cet homme veut écrire, et ne sait pas seulement parler sa langue. Enfin, quel sujet vous amenait ici, journalier ?

La seconde variante affecte la fin de la scène VII de l'acte IV :

FIGARO (*pendant qu'on signe*). — L'ami Bazile ! à votre manière de raisonner, à vos façons de conclure, si mon père eût fait le voyage d'Italie, je croirais, ma foi, que nous sommes un peu parents.

DOM BAZILE. — Monsieur Figaro, ce voyage d'Italie, il n'est pas du tout nécessaire pour que cela soit, parce que mon père, il a fait plusieurs fois celui d'Espagne.

FIGARO. — Oui ? Dans ce cas nous devons partager comme frères tout ce que vous avez reçu dans cette journée.

DOM BAZILE. — Je ne sais pas bien l'usage ici, mais chez nous, monsieur Figaro, pour succéder ensemblement, il faut prouver sa filiation maternelle ; l'autre il ne suffit pas chez nous ; je dis chez nous... (*Il met sa bourse dans sa poche.*)

LE COMTE. — Crains-tu, Figaro, que ma générosité ne reste au-dessous d'un service de cette importance ? Laisse-là ces misères ; je te fais mon secrétaire avec mille piastres d'appointements.

DOM BAZILE. — Allons, mon frère, je suis très content d'agir avec vous, s'il vous convient, selon la coutume espagnole.

FIGARO (*l'embrasse en riant*). — Ah ! friandas ! il ne faut que vous en montrer.

PORTRAIT DE BEAUMARCHAIS
PAR LUI-MÊME

Je travaille, j'écris, je confère, je rédige, je représente, je combats : voilà ma vie [...]. Je suis mes affaires avec l'opiniâtreté que vous me connaissez. Croyez-moi, ne soyez étonné de rien, ni de ma réussite, ni du contraire, s'il arrive [...]. Cependant, je ris; mon intarissable belle humeur ne me quitte pas un seul instant.

Lettre d'Espagne, à son père (1764).

Et vous qui m'avez connu, vous qui m'avez suivi sans cesse, ô mes amis! dites si vous avez jamais vu autre chose en moi qu'un homme *constamment gai; aimant avec une égale passion l'étude et le plaisir; enclin à la raillerie, mais sans amertume;* et l'accueillant dans autrui contre soi, quand elle est assaisonnée; soutenant peut-être avec trop d'ardeur son opinion quand il la croit juste, mais honorant hautement et sans envie tous les gens qu'il reconnaît supérieurs; confiant sur ses intérêts jusqu'à la négligence; actif quand il est aiguillonné, paresseux et stagnant après l'orage; insouciant dans le bonheur, mais poussant la constance et la sérénité dans l'infortune jusqu'à l'étonnement de ses plus familiers amis.

Lettre citée et commentée par Sainte-Beuve
(Lundis, VI, p. 174).

Je souriais, avant-hier au soir, du magnifique éloge que vous faisiez de moi, en attestant que je suis dupe de tout le monde. Etre dupé par tous ceux qu'on a obligés, du sceptre jusqu'à la houlette, c'est être victime et non dupe. Au prix d'avoir conservé tout ce que l'ingrate bassesse m'a ravi, je ne voudrais pas une seule fois m'être comporté autrement. Voilà ma profession de foi.

A M. Talleyrand (1798).

JUGEMENTS
SUR « LE BARBIER DE SÉVILLE »

XVIIIᵉ SIÈCLE

On possède plusieurs témoignages sur l'impression défavorable que fit le Barbier de Séville dans sa première version en cinq actes (23 février 1775). C'est la longueur de la pièce qui semble avoir lassé les spectateurs, ainsi qu'une certaine vulgarité.

Cette pièce, que l'auteur prolixe a allongée en cinq actes, au lieu de la réduire à trois, n'est, quant à l'intrigue, qu'un tissu mal ourdi de tours usés au théâtre pour attraper les maris ou les tuteurs jaloux. Les caractères, sans aucune énergie, point assez prononcés, sont quelquefois contradictoires [...]. Le comique de situation est totalement manqué, et celui du dialogue n'est qu'un remplissage de trivialités, de turlupinades, de calembours, de jeux de mots bas et même obscènes : en un mot, c'est une parade fatigante, une farce insipide, indigne du théâtre français.

Bachaumont,
Mémoires secrets, VII (23 février 1775).

Tout le comique prétendu de cette pièce consiste en quelques bons mots de la plus grande trivialité; elle est remplie de plaisanteries plates, de bouffonneries grivoises, et même de pensées très répréhensibles.

Métra,
Correspondance littéraire secrète (25 février 1775).

Après la réduction de la pièce en quatre actes (26 février), certains critiques reconnaissent l'amélioration qu'a apportée cet allégement.

Cette comédie est un *imbroglio* comique, où il y a beaucoup de facéties, d'allusions plaisantes, de jeux de mots, de lazzis, de satires grotesques, de situations singulières et vraiment théâtrales, de caractères originaux, et surtout de gaieté vive et ingénieuse. Les retranchements que l'auteur a faits à la seconde représentation assurent le succès de cette comédie.

Mercure de France (mars 1775).

Mais l'accusation de vulgarité n'en disparaît pas pour autant; du moins de la part de certains esprits qui restent, comme Mᵐᵉ Du Deffand, fidèles au « bon goût » des salons et que choquent la verve populaire de Figaro aussi bien que les rebondissements d'une intrigue trop fertile en procédés faciles.

J'étais à la comédie de Beaumarchais, qu'on représentait pour la seconde fois. A la première, elle fut sifflée. Pour hier, elle eut un succès extravagant ; elle fut portée aux nues et applaudie à tout rompre, et rien ne peut être plus ridicule. Cette pièce est détestable [...]. Le goût est ici entièrement perdu. Ce Beaumarchais, dont les *Mémoires* sont si jolis, est déplorable dans sa pièce du *Barbier de Séville*.

Mme Du Deffand,
Lettre à Horace Walpole (27 février 1775).

Le Journal encyclopédique (mai 1775), publié à Bouillon, recueille l'ensemble des critiques formulées contre le Barbier de Séville ; il est inutile d'en citer ici des extraits, puisque Beaumarchais consacre la plus grande partie de sa Lettre modérée (voir pages 35-43) à réfuter point par point, après les avoir cités, les reproches qu'on lui fait. Ce que Beaumarchais ne dit pas, c'est la conclusion de l'article, à laquelle l'auteur du Barbier ne trouverait sans doute rien à redire.

Rien n'est lié, rien n'est conduit, mais, malgré tout cela, on rit à cette pièce, et c'est probablement ce que demandait l'auteur, si célèbre par d'autres écrits, dont le mérite brillant ne peut être contesté.

Journal encyclopédique de Bouillon (mai 1775).

Mais les admirateurs de Beaumarchais ne manquent pas de relever les mérites de la pièce, en prenant le contre-pied des critiques formulées par le Journal encyclopédique, et en faisant écho aux arguments que développe la Lettre modérée.

Cette pièce est non seulement pleine de gaieté et de verve, mais le rôle de la petite fille est d'une candeur et d'un intérêt charmants. Il y a des nuances de délicatesse et d'honnêteté dans le rôle du Comte et dans celui de Rosine, qui sont vraiment précieuses [...].
Nous remercierons M. de Beaumarchais de nous avoir fait rire au *Barbier de Séville*. Nous ne craindrons point de dire que cette pièce peut être mise à côté des meilleures farces de Molière, que si le fond en est moins philosophique, l'intrigue en est plus adroite, et que les plus grands maîtres de l'art n'auraient point désavoué la scène de Bazile.

Grimm,
Correspondance littéraire, X et XI (décembre 1775).

En tout cas, le Barbier de Séville s'installa très vite au répertoire de la Comédie-Française, et le jugement que porte La Harpe l'année même de la mort de Beaumarchais prouve que les polémiques avaient cessé et que la valeur de l'œuvre était reconnue.

Le *Barbier de Séville* est le mieux conçu et le mieux fait des ouvrages dramatiques de Beaumarchais. Les caractères en sont assez marqués et assez soutenus pour le genre de l'*imbroglio* : celui du tuteur amoureux et jaloux a un mérite particulier; il est dupe sans être maladroit. Les moyens de l'intrigue sont du vieux théâtre, et le fond en était usé; mais il est rajeuni par les incidents et le dialogue. Il n'y a point d'acte qui n'offre une situation ingénieusement combinée, piquante et gaie dans les détails. La pièce se noue plus fortement d'acte en acte, et se dénoue fort heureusement au dernier.

La Harpe,
Lycée, 3ᵉ partie, livre Iᵉʳ, V (1799).

XIXᵉ SIÈCLE

Les romantiques n'ont jamais porté sur la comédie des deux siècles précédents des jugements aussi défavorables que sur la tragédie racinienne. Victor Hugo, dans la Préface de « Cromwell », associe dans un même éloge « les trois grands génies caractéristiques de notre scène : Corneille, Molière, Beaumarchais ».
Au milieu du siècle, Sainte-Beuve fut extrêmement sensible à l'esprit de Beaumarchais et surtout à l'aspect « moderne » d'une œuvre qui ne rompt cependant pas avec les meilleures traditions de l'esprit français.

« Qui dit *auteur* dit *oseur* », c'est un mot de Beaumarchais, et nul n'a plus justifié que lui cette définition. En mêlant au vieil esprit gaulois les goûts du moment, un peu de Rabelais et du Voltaire, en y jetant un léger déguisement espagnol et quelques rayons du soleil de l'Andalousie, il a su être le plus réjouissant et le plus remuant Parisien de son temps, le Gil Blas de l'époque encyclopédique, à la veille de l'époque révolutionnaire; il a redonné cours à toutes sortes de vieilles vérités d'expérience ou de vieilles satires, en les rajeunissant. Il a refrappé bon nombre de proverbes qui étaient près de s'user. En fait d'esprit, il a été un grand *rajeunisseur*, ce qui est le plus aimable bienfait dont sache gré cette vieille société qui ne craint rien tant que l'ennui, et qui y préfère même les périls et les imprudences.

Sainte-Beuve,
Lundis, VI (1852).

A partir de la fin du XIXᵉ siècle, les critiques et les historiens de théâtre mettent — plus ou moins selon leurs tendances — l'accent sur un des trois aspects suivants de la pièce de Beaumarchais :
1° On ne peut refuser à Beaumarchais d'être un héritier de Molière; les ressemblances entre le Barbier de Séville et l'Ecole

des femmes *sont trop frappantes pour qu'on ne soit pas tenté de parler de « grande comédie »*;

2° *Par la prodigieuse habileté de son intrigue, le Barbier de Séville est une pièce « bien faite »; peut-être même la comédie apparaît-elle à certains comme trop bien faite, au point que le jeu des coïncidences et des quiproquos séduit le spectateur au détriment de l'intérêt des caractères, de même que les « mots de théâtre » appellent des applaudissements trop faciles. Ainsi le Barbier de Séville ouvrirait l'ère de la comédie facile qui a prospéré pendant tout le XIX° siècle pour aboutir au vaudeville de Feydeau et au théâtre du Boulevard*;

3° *Le Barbier de Séville est l'écho de certaines idées nouvelles, de certaines revendications sociales qui annoncent la fin de l'Ancien Régime.*

Ces différents points de vue apparaissent dans les jugements de Gustave Lanson et d'E. Lintilhac, qui fut un spécialiste de l'histoire du théâtre et notamment de Beaumarchais.

Jamais on n'a mieux fait quelque chose de rien. Une sérénade, deux travestis et une escalade, voilà toute l'intrigue; mais quelle trame avec ces quatre fils! Si l'exposition du *Tartuffe* est la plus savante qu'il y ait au théâtre, *le Barbier* est de toutes les comédies celle dont le dénouement est le mieux amené, partant le plus intéressant. Il est prévu, dès qu'on connaît les personnages, et on les connaît tout de suite; aussi tout ce qui le retarde pique la curiosité, tout ce qui le prépare éveille l'intérêt. C'est un jeu d'échecs: les pièces en sont vieilles, mais la partie est toute neuve, car, bien que l'un des joueurs avance sans cesse, son succès est à chaque coup compromis par l'habile défense du plus faible, et nous ne respirons que lorsque ce dernier est fait échec et mat.

Eugène Lintilhac,
Beaumarchais et ses œuvres (1887).

Quand la magie de l'action a cessé, on s'aperçoit que la recherche du trait n'est pas toujours heureuse, ni l'expression correcte, que le style est tendu, que cette prose vise trop à passer en proverbe, que tout n'est pas or, qu'il y a du clinquant et du *claquant*, comme dirait Figaro; mais qu'on a de peine à se l'avouer et qu'il est facile de l'oublier!

Eugène Lintilhac,
Histoire générale du théâtre en France,
tome IV (1909).

Enfin l'on sortait des ridicules de salon, des fats, des coquettes, du cailletage! On en sortait par un retour hardi à la vieille farce, à l'éternelle comédie. Un franc comique jaillissait de l'action lestement menée à travers les situations comiques ou bouffonnes que le sujet contenait, des *quiproquos*, des *travestis*, de tous ces bons vieux moyens de faire rire, qui semblaient tout neufs et tout-puissants. Sur tout cela, l'auteur, se souvenant de sa course romanesque au-delà des Pyrénées, avait jeté le piquant des costumes espagnols, dont le contraste relevait le ragoût parisien du dialogue. Ce dialogue était la grande nouveauté, la grande surprise de la pièce : il en faisait une fête perpétuelle.

Beaumarchais a suivi le conseil de Diderot, il a enveloppé les caractères dans les conditions, et il y a trouvé le moyen de caresser les goûts philosophiques du public. Le sujet manqué par Voltaire dans *Nanine* est venu très justement s'appliquer sur le thème de *l'Ecole des femmes*.

Gustave Lanson,
Histoire de la littérature française (1894).

XXᵉ SIÈCLE

La critique du XXᵉ siècle n'ouvre pas de perspectives nouvelles sur le Barbier de Séville, mais on trouve sur les différents aspects de la pièce des jugements plus tranchés ou, au contraire, plus nuancés.

Cette pièce si alerte contenait en germe presque tout le théâtre du XIXᵉ siècle.

André Rivoire,
le Temps (23 juin 1924).

(20 février 1926). Etendu sur une chaise de bord qui, de jour, prend la place du lit de camp replié, je relis *le Barbier de Séville.* Plus d'esprit que d'intelligence profonde. De la paillette. Manque de gravité dans le comique.

André Gide,
Retour du Tchad (1928).

La grande audace de Beaumarchais va être de transporter sur le *Théâtre-Français* une partie des libertés qu'on trouvait toutes naturelles sur les scènes des Boulevards [...]. Une pièce très libre et franchement gaie se présente sur la scène auguste d'où le véritable comique semblait de plus en plus banni.

Félix Gaiffe,
le Rire et la scène française (1931).

Almaviva représente le type habituel de l'amoureux, sans que son amour parvienne jamais à nous émouvoir. Rosine est infiniment moins complexe qu'Agnès, dont l'ingénuité trahit une nature plus originale et plus secrète. Bartholo, avare, méchant, hargneux, n'éprouve pas les sentiments douloureux et profonds qui prêtent au rôle d'Arnolphe une intensité souvent pathétique ; et, malgré tout, *le Barbier de Séville* n'est pas — mais pour des raisons différentes — une comédie moins attrayante que *l'Ecole des femmes*. Ses mérites sont plus superficiels sans doute [...], mais si l'on essaie simplement de mesurer le plaisir de jeu que l'une et l'autre nous procurent, l'égalité se rétablit [...]. Nous touchons ici aux qualités mêmes du génie de Beaumarchais, et non seulement à celles de son génie, mais à celles de son caractère : le mouvement et l'esprit.

Auguste Bailly,
Beaumarchais, la vie et l'œuvre (1945).

Figaro enfin, brusquement, se dresse comme l'homme des revendications sociales. Il a toutes les qualités intellectuelles qu'il faut pour prétendre aux grandes places. Cultivé, intelligent, honnête sans naïveté, plein d'idées, ne vaut-il pas n'importe lequel de ces puissants d'un jour dont il a subi l'injuste pouvoir? Il échoue cependant. Tout au plus s'est-il élevé au niveau d'homme de confiance de la famille Almaviva. C'est son successeur immédiat qui réalisera ses promesses, Ruy Blas, premier ministre de toutes les Espagnes.

Philippe Van Tieghem,
Beaumarchais par lui-même (1960).

SUJETS DE DEVOIRS ET D'EXPOSÉS

NARRATIONS

● Racontez, en vous inspirant des renseignements donnés dans la Notice, les Jugements et dans la *Lettre modérée*, les deux premières représentations du *Barbier de Séville*, où la pièce — d'abord en cinq actes, puis ramenée à quatre — fut successivement sifflée et acclamée. Montrez et justifiez la volte-face du public en vous inspirant de la Notice, de la *Lettre modérée* et des jugements contemporains.

DISSERTATIONS

● « Un vieillard amoureux prétend épouser demain sa pupille ; un jeune amant plus adroit le prévient et, ce jour même, en fait sa femme à la barbe et dans la maison du tuteur. Voilà le fond, dont on eût pu faire, avec un égal succès, une tragédie, une comédie, un drame, un opéra, *et cœtera*. L'Avare de Molière est-il autre chose ? *Mithridate* est-il autre chose ? Le genre d'une pièce, comme celui de toute autre action, dépend moins du fond des choses que des caractères qui les mettent en œuvre. » En vous appuyant sur les trois pièces de Molière, de Racine et de Beaumarchais, commentez cette appréciation de l'auteur, dans sa *Lettre modérée*.

● Le *Barbier de Séville*, type de la pièce bien faite.

● Place du *Barbier de Séville* dans l'évolution de notre théâtre comique.

● Ressemblances et différences entre le *Barbier de Séville* et le *Mariage de Figaro*. Etudiez les transformations d'une pièce à l'autre.

● Dégagez de sa comédie la personnalité de Beaumarchais (souvenirs biographiques, philosophie sociale, esprit).

● En vous appuyant sur des exemples nombreux et précis, commentez cette appréciation de Sainte-Beuve (*Causeries du lundi*, VI, p. 181) : « Beaumarchais était naturellement et abondamment gai ; il osa l'être dans le *Barbier* : c'était une originalité au XVIIIe siècle [...]. Il avait le genre de plaisanterie moderne, ce tour et ce trait aiguisé qu'on aimait à la pensée depuis Voltaire ; il avait la saillie, le pétillement continuel. Il combina ces qualités diverses et les réalisa dans des personnages vivants, dans un surtout, qu'il anima et doua d'une vie puissante, et d'une fertilité **de** ressources inépuisable. On peut dire de lui qu'il donna une nouvelle forme à l'esprit. »

● « Le portrait de la fameuse ingénue y est beaucoup plus poussé que dans les comédies analogues du répertoire. Rosine a plus d'initiative, plus d'audace que ses semblables ; elle invente elle-même des ruses, et n'a pas besoin d'un Crispin ou d'une Lisette pour l'aider. De plus, cette initiative n'est pas exclusivement intellectuelle, elle est sentimentale, et même sensuelle. Elle a une présence d'esprit inquiétante, et les mensonges lui sortent bien facilement de la bouche. Enfin, elle veut justifier sa conduite et revendiquer ses droits. Sa précoce expérience, sa sûreté de soi, sa singulière vivacité la mettent bien loin d'une Agnès. » Commentez et discutez, s'il y a lieu, cette appréciation de F. Gaiffe (*Cours sur « le Mariage de Figaro »*).

● Le personnage du barbon amoureux : comparez Bartholo à Arnolphe (*l'Ecole des femmes*) et à Claudio (*les Caprices de Marianne*).

● L'originalité du personnage de Bazile ; d'où vient sa force comique ?

TABLE DES MATIÈRES

Imprimerie Hérissey. — 27000 - Évreux.
Décembre 1970. — Dépôt légal 1970-4e. — No 22986. — No de série Éditeur 9168.
imprimé en france *(Printed in France)*. — 34 100 X-3-79.